LA TRISOMIE 21

PERSPECTIVE HISTORIQUE
SUR SON DIAGNOSTIC
ET SA COMPRÉHENSION

Jean-Adolphe Rondal

Professeur Émérite de l'Université de Liège
et Professeur à l'Université Pontificale Salésienne de Venise

LA TRISOMIE 21

PERSPECTIVE HISTORIQUE
SUR SON DIAGNOSTIC
ET SA COMPRÉHENSION

MARDAGA

DU MÊME AUTEUR CHEZ MARDAGA

Auteur

Langage et éducation, 1978.
Langage et communication chez les handicapés mentaux. Théorie, évaluation et intervention, 1985.
L'interaction adulte-enfant et la construction du langage, 1990 (épuisé).
Le développement du langage chez l'enfant trisomique 21. Manuel pratique d'aide et d'intervention, 1990 (épuisé).
Votre enfant apprend à parler, 1997.
Le langage : de l'animal aux origines du langage humain, 2000.
L'évaluation du langage, 2003.
Expliquer l'acquisition du langage. Caveats et perspectives, 2006.

Co-auteur

Avec Jean-Luc LAMBERT, *Le mongolisme*, 1979. Nouvelle édition, 1997.
Avec Serge BRÉDART, *L'analyse du langage chez l'enfant. Les activités métalinguistiques*, 1997.
Avec Fabienne HENROT et Monique CHARLIER, *Le langage des signes. Aspects psycholinguistiques et éducatifs*, 1997 (épuisé).
Avec Annick COMBLAIN, *Apprendre les langues. Où, quand, comment ?*, 2001.

Co-directeur de publication

Avec Jean-Luc LAMBERT et Harold H. CHIPMAN, *Psycholinguistique et handicap mental. Recherches récentes et perspectives*, 1982.
Avec Jean-Pierre THIBAUT, *Problèmes de psycholinguistique,* 1987.
Avec Éric ESPERET, *Manuel de psychologie de l'enfant,* 1999.
Avec Annick COMBLAIN, *Manuel de psychologie des handicapés. Sémiologie et principes de remédiation, 2001.*
Avec Xavier SERON, *Troubles du langage. Bases théoriques, diagnostic et rééducation, 2003.*

Collection : PSY-Théories, débats, synthèses
dirigée par Marc Richelle et Xavier Seron

© 2010 Éditions Mardaga
Collines de Wavre
Avenue Pasteur, 6 – Bât. H
B-1300 Wavre (Belgique)
www.mardaga.be

D. 2010-0024-06
ISBN 978-2-8047-0042-3

L'auteur

Jean-Adolphe Rondal, est Philosophy Doctor (Ph. D.) de l'Université du Minnesota, à Minneapolis, Post-doctoral Fellow de l'Université Harvard, Cambridge, Massachusetts, USA, et Docteur en Sciences du Langage-Linguistique de l'Université René Descartes-Sorbonne de Paris. Il est Professeur ordinaire émérite de l'Université de Liège où il a occupé la chaire de Psycholinguistique pendant 28 ans. Le Professeur Rondal prête son concours depuis 27 ans à l'Association APEM-Trisomie 21 de Verviers-Liège, fait partie du Conseil d'Administration, et préside son Conseil scientifique. Jean-Adolphe Rondal est membre fondateur, ancien Président de l'*European Down syndrome Association*, et Président de son Conseil scientifique. Il est actuellement Professeur de Psychologie et de Pathologie du Langage à l'Université Pontificale Salésienne de Venise et Consultant auprès de plusieurs Associations et Institutions italiennes, françaises, espagnoles, et anglaises. Le Professeur Rondal est l'auteur d'une cinquantaine d'ouvrages et d'environ 400 articles scientifiques sur des questions de psycholinguistique, patholinguistique, psychologie et psychopathologie du développement cognitif.

A mis amigos e compagneros espagnoles de viaje intelectual por tanto tiempo, Juan Perera Mesquida y Miguel Puyuelo San Clemente, al mio caro amico Veneziano Paolo Meazzini con cui condivido tante cose, en mémoire de Neil O'Connor, guide et ami, grand précurseur des recherches neurocognitives sur le handicap mental, et à tous les enfants, adolescents et adultes porteurs d'un syndrome SDL, victimes d'un sort contraire, dans un monde encore trop indifférent ; pour lesquels, et beaucoup d'autres, nous pourrions faire bien davantage si nous cessions de gaspiller nos ressources collectives dans des entreprises futiles.

« Une société devrait être jugée sur la façon dont elle s'occupe de ses membres les moins favorisés. »

Lionel Penrose (*Lionel Penrose Papers*, University College London, Archives ; cité par Kevles, 1999, p. 157 ; traduit par mes soins)

John B.S. Haldane, sur les marches d'un bâtiment où se tenait le 3ᵉ Congrès International de Génétique, en 1932, à l'Université Cornell de New York :

« *Une société composée d'êtres absolument parfaits serait hautement inadaptée. L'essence de la perfection chez les plantes, les animaux, et, certainement, chez les humains, réside dans la variété. Une société idéale doit avoir une place pour toutes sortes de gens, chacun valable et utile à un point de vue ou l'autre.* »

« *Mais ne serait-il pas désirable de produire davantage de Léonard de Vinci* », remarqua un journaliste ?

« *Vinci,* répondit Haldane, *aurait été stérilisé dans pas mal d'états américains, en raison de certaines de ses "anomalies"* [*].* »

Haldane apostrophant ensuite son collègue Crew de l'Institute of Animal Genetics de l'Université d'Édimbourg, présent sur la scène, lui demanda :

« *Crew, quel est l'homme parfait ?* »

« *Il n'y en a pas* », répondit Crew, « *Cela dépend du milieu ; définissez-nous le paradis et nous vous dirons qui sont les anges* » (d'après Kevles, 1999, p. 147, traduit par mes soins).

---

[*] Vinci est connu pour avoir été homosexuel. L'homosexualité ainsi que les retards mentaux et d'autres « anomalies » faisaient encore l'objet à l'époque de lois de stérilisation forcées dans nombre d'états américains en raison d'une philosophie politique d'eugénisme négatif.

« *Les hommes naissent égaux en droit, nous ont dit les philosophes des Lumières, et nous le répétons dans nos déclarations universelles. Ils ne naissent pas égaux en nature, comme le confirme la génétique. L'égalité de droit, imprescriptible, implique le droit d'être équitablement différent. Elle ne comporte point l'obligation d'être semblable.* »

Sommaire

Préface

Le syndrome dit de Down, étiologiquement trisomie 21, devrait porter la triple appellation « Seguin-Down-Lejeune » (SDL – qu'on y voit aucune familiarité) et j'emploierai autant que possible, de façon un peu provocante, cette terminologie novatrice dans l'ouvrage[1]. Je propose aux spécialistes, en premier lieu francophones, et aux instances responsables de m'emboîter le pas officiellement. Il existe des indications sérieuses prouvant que Seguin avait déjà décrit, en 1846, soit 20 ans avant Langdon Down, au moins un cas de ce qu'on est convenu depuis les années soixante du XXᵉ siècle, d'appeler syndrome de Down (avec la croyance que Down aurait été le premier à décrire le syndrome ; par exemple, Wunderlich, 1977, dans un opus souvent cité). Par ailleurs, les observations de Lejeune et de ses collaborateurs à la fin des années cinquante et au début des années soixante ont une importance que ne permet pas de reconnaître l'appellation officielle (sans qu'en aucune manière les mérites du médecin hospitalier anglais ne soient à minimiser). Jérôme Lejeune et ses collaborateurs ont ouvert un chapitre décisif dans l'approche du syndrome et dans celle d'autres syndromes génétiques du handicap cognitif[2] (même si les bénéfices pour les autres syndromes ont dû attendre la fin du XXᵉ siècle et les importants progrès de la génétique moléculaire et des neurosciences) en révélant l'étiologie génétique du mongolisme, comme on appelait le syndrome à l'époque. Un important changement de perspective s'en est suivi, dans lequel nous nous situons toujours, avec l'affirmation d'une causalité particulière, une aberration génétique indépendante de toute responsabilité parentale ou sociétale directe et la démonstration qu'il ne s'agit pas d'une maladie ou d'une dégénérescence neurologique, mais bien d'une condition organique singulière[3].

Une perspective historique sur la trisomie 21, bientôt peut-être « syndrome de Seguin-Down-Lejeune », reflète tout un pan de la noble histoire de la réalisation de la nature particulière du handicap cognitif (à la

[les français veulent la reconnaissance]

différence des démences, effets de l'alcoolisme chronique, ou conditions dégénératives intrinsèques ou extrinsèques) et de sa prise en charge éducative. On y voit à l'œuvre le génie et l'engagement de personnes comme Jean Itard, Édouard Seguin, John Langdon Down, Lionel Penrose, Raymond Turpin, Jérôme Lejeune, et beaucoup d'autres, ainsi que la lutte à la fin du XIXe siècle et dans la première partie du XXe contre l'eugénisme et ses recommandations monstrueuses et scientifiquement infondées. Le notoire avancement des connaissances et la nette amélioration des prises en charge médicale, habilitative[4], et éducative, dans la seconde moitié du XXe siècle ont abouti à une extraordinaire augmentation de l'espérance de vie chez les personnes porteuses du syndrome ainsi qu'à des perspectives de développement et d'intégration sociale et professionnelles inespérées précédemment.

C'est cette évolution que j'ai cherché à retracer dans ce petit texte en rendant d'abord hommage aux grands pionniers.

Dans la dernière partie de l'ouvrage, j'esquisse à gros traits la perspective d'une thérapie génétique dans le cas de la trisomie 21. Cette possibilité est encore distante, mais il ne s'agit plus de science-fiction. Divers travaux expérimentaux sont en cours concernant des syndromes génétiquement plus simples (étiologies liée à la mutation d'un seul gène, par exemple). La trisomie 21 concerne tout un chromosome ou au moins une partie d'un chromosome, tripliqué(e) ou qui fait l'objet d'une translocation (voir le chapitre 4), ce qui détermine d'importantes conséquences pathologiques. En raison de cette complication, les perspectives d'amélioration génétique sont plus éloignées, mais il n'est pas irréaliste de penser qu'on pourra bientôt travailler gène par gène et ainsi hâter une remédiation biologique au moins partielle.

Mes remerciements vont tout particulièrement à mon ami de longue date, Olivier Héral, du beau pays cathare, pionnier de l'orthophonie moderne en France, et véritable thésaurus en ce qui concerne l'histoire récente et plus ancienne de l'orthophonie et de ses sources médicales et linguistiques. Gratitude au Docteur Jacqueline London, Présidente d'AFRT-France et Professeur de Médecine à l'Université de Paris 7, également amie de longe date, pour ses encouragements et son aimable mise à disposition de deux articles récents de Marthe Gauthier sur la découverte de l'étiologique génétique de la trisomie 21. Remerciements enfin à Marie-Thérèse Lysens, de l'Association Trisomie 21-APEM, de Verviers-Liège, pour son aide documentaire.

Chapitre 1
Les grands pionniers

La psychiatrie moderne commence avec Pinel, Esquirol et Itard, dans la seconde moitié du XVIIIe et la première partie du XIXe siècle. On s'est plu, çà et là, à identifier dans l'histoire de la peinture ou dans telle ou telle source culturelle ou religieuse l'existence d'enfants porteurs des marques physiques les plus visibles de ce qui sera nommé ensuite « syndrome de Down », comme une taille réduite, un visage rond et plat, une nuque large, et les replis de l'épicanthus (sorte de rebords dans le coin des globes oculaires). Un tableau du peintre italien Renaissant Mantegna est parfois considéré comme mettant en scène un enfant « Down » sur les bras d'une Madonna (Stratford, 1982). On peut discuter de la pertinence de tels rapprochements. Il est pratiquement certain que le syndrome existe au moins[5] depuis Homo Sapiens sapiens (200 000 ans environ) dans la mesure où les aspects fondamentaux de la fécondation et de l'embryogenèse humaine n'ont guère évolué depuis cette période et sachant que les aneuploïdies (aberrations dans le nombre de chromosomes) sont très répandues en raison des aléas de la méiose réductionnelle lors du processus de reproduction (voir Jin *et al.*, 2009, pour une hypothèse explicative moléculaire riche d'implications thérapeutiques préventives non abortives). Une aneuploïdie courante est la trisomie, c'est-à-dire la présence de trois chromosomes homologues pour une paire donnée. La quasi totalité des trisomies sont létales, souvent très tôt au cours du développement embryonnaire. Elles provoquent spontanément des fausses couches. Toutefois, certaines trisomies peuvent être observées chez des enfants, et par la suite chez des adultes. Il s'agit en particulier de celle qui concerne le chromosome 21. Cette trisomie se caractérise, comme son nom l'indique, par la présence de trois chromosomes 21 au lieu de deux[6].

Bien avant la spécification de l'étiologie génétique de la condition, les enfants porteurs étaient assimilés aux autres formes du handicap cognitif, et, précédemment, on les rangeait même au sein d'un groupe *insanity*

davantage indifférencié encore, celui des démences, effets de l'alcoolisme chronique, tuberculose endémique, syphilis, etc. Peu d'adultes se
trouvaient, l'espérance de vie étant fort réduite. Elle était encore de
quelques années seulement au début du XXᵉ siècle.

Des médecins spécialisés, au premier plan desquels Pinel, Esquirol
et Itard, amenèrent par leurs observations et leurs prises de position,
une lente distinction entre maladie mentale (démence) et retard ou handicap cognitif. Pinel (1809) avait établi que les troubles mentaux sont
des maladies au même titre que les maladies physiques. Il fallu forger
de nouvelles catégories nosologiques. On parla de stupidité (*stupiditas*,
Pinel) pour désigner tous les handicaps mentaux. Puis des indications
de degré de gravité (non quantifiées) se firent jour dans les rapports
médicaux : idiotie au niveau le plus bas, imbécillité pour désigner un
handicap moins grave (avec parole préservée ; Esquirol, 1838[7]), et
débilité mentale (Seguin, 1846) renvoyant à un handicap plus léger.
Ces expressions, qui au départ avaient une pertinence nosologique, se
sont connotées négativement et on ne les utilise plus.

Itard et Esquirol sont pratiquement contemporains. Ils diffèrent par
certaines idées. Esquirol (1805) insiste sur la différence, jusque là assez
confuse, entre démence et handicap mental. Pour lui, les « passions »
perturbées sont à l'origine de l'aliénation mentale sous ses diverses
formes. Or, elles ne sont pas d'ordre intellectuel. On peut les traiter à
condition de leur appliquer un traitement adéquat (par exemple, la
méthode perturbatrice, consistant à provoquer une secousse « morale »
qui place l'aliéné dans un état opposé à celui dans lequel il « est » dans
sa maladie). Si pour Pinel et Esquirol, la maladie mentale est guéris-
sable, le handicap mental en revanche est jugé incurable, car renvoyant
à un fonctionnement inné gravement inadéquat. Esquirol (1838) précise que l'idiotie n'est pas une maladie mais un état de non-développe-
ment des facultés intellectuelles.

Itard (1775-1838) est surtout connu pour avoir entrepris de faire
l'éducation d'un « enfant sauvage », nommé Victor. Le « sauvage de
l'Aveyron » n'était pas le premier enfant sauvage découvert. Seguin
(1866) cite dix cas du genre répertoriés depuis le XVIᵉ siècle, en
Allemagne, Lituanie, Irlande, Pyrénées françaises, Champagne, Hollande
du nord, et Pays de Liège[8]. Victor, toutefois, paraît bien avoir été le
premier enfant sauvage qui ait fait l'objet d'une tentative d'éducation.
Itard a entrepris son éducation en opposition à l'avis de Pinel ; ce dernier

ayant affirmé au cours d'une séance de l'Académie des Sciences que Victor était un idiot congénital, raison pour laquelle il avait été abandonné par ses géniteurs. Itard avait rétorqué que Victor était au contraire un cas d'enfant abandonné à la nature, privé de parents et d'éducationdepuis la naissance ou très tôt dans l'existence; une sorte de «*tabula rasa*», au sens de Locke (1690, 1999), qu'il s'engageait à éduquer et à replacer dans la société, prouvant de ce fait que l'être humain était principalement affaire de société et de culture. Les idées de Rousseau (1755, 1762) lui sont familières, notamment celle relative à la contribution d'une société moralement correcte pour l'émergence des facultés proprement humaines. Itard pense, en outre, que l'éducation d'un «vrai sauvage» permettrait de suivre de près et de rendre compte de l'émergence graduelle de l'esprit humain. Il est le premier à vouloir pratiquer une sorte d'expérimentation naturelle (au sens moderne de Bronfenbrenner, 1978), permettant de déterminer les parts respectives de la nature et de la «nurture» (par défaut initial) dans l'évolution intellectuelle d'un être humain. Son premier programme de travail était orienté psychosocialement: exposition à une vie sociale, éveil émotif et affectif, créations de motivations diverses de celles primitives existant jusque là, multiplication des associations avec les êtres et les choses de l'environnement, amener l'utilisation du langage par imitation et en plaçant Victor dans des situations où il aurait, en principe, à utiliser une parole articulée pour obtenir la satisfaction de ses besoins et désirs (Itard, 1801). Après un peu plus d'un an de tentatives largement infructueuses, Itard paraît s'être résigné à l'idée que Victor était davantage qu'un être non socialisé et que peut-être le diagnostic d'idiotie congénitale posé par Pinel n'était pas erroné (Seguin, 1866, p. 11). Loin de renoncer, il s'efforça de mettre en action une méthode originale, dite physiologique (inspirée du «sensualisme» ou, en termes modernes du «sensationnisme[9]» de Condillac, 1746, 1754, 1798). L'approche était également influencée par les connaissances d'Itard en matière d'éducation des enfants sourds. Itard était à l'époque médecin de l'Institut des Sourds-muets de Paris et familier des travaux de Bonnet, en Espagne, et de Pereire, en France, en matière d'éducation des enfants sourds profonds congénitaux; les grands précurseurs de ce qu'on nommerait aujourd'hui une «communication totale» insistant sur la possibilité de substituer une modalité sensorielle à une autre déficiente (par exemple, la vue et le toucher pour l'audition), l'exploitation des «restes auditifs» par stimulation sensorielle, contact direct avec les objets, et pratique de la communication interpersonnelle (Rondal *et al.*, 1997).

Bien que la rééducation menée par Itard ait largement échoué [10], on a suggéré (par exemple, Kanner, 1967) que le plus important était qu'il ait essayé et qu'il était convaincu, à l'encontre des idées précédentes, qu'une éducation spécialisée était en mesure d'apporter une amélioration. Plusieurs écoles pour l'éducation des enfants présentant un crétinisme ou une idiotie congénitale ont été ouvertes dans plusieurs pays à la suite des travaux d'Itard (outre Seguin, en France, Guggenbuhl en Suisse à partir de 1842, Saegert à Berlin, la même année, Kern à Leipzig, en 1846, Reed et collaborateurs à Bath (Angleterre), Peto à Colchester (Angleterre), et Wilbur à Barre (Massachusetts) en 1846 (indications historiques reprises à Seguin, 1866)).

Édouard Seguin (1812-1880), fils d'un médecin compagnon d'Itard, a été confronté dans ses années de formation aux idées du fondateur de la psychopathologie infantile. Il a eu accès aux notes d'Itard qu'il a fréquenté à l'Institution parisienne des Sourds-muets [11], sur la rééducation de Victor, et en a tiré, à la fois, sa conviction de l'éducabilité des idiots congénitaux et une motivation à dépasser Itard au plan des résultats. Seguin est l'auteur de plusieurs ouvrages dont, en 1846, le *Traitement moral, hygiène et éducation des idiots et des autres enfants arriérés ou retardés dans leur développement, agités de mouvements involontaires, débiles, muets non-sourds, bègues, etc.*, basé sur son expérience d'éducateur en privé et à l'asile parisien de Bicêtre. Il y préconise de bonnes conditions hygiéniques, habillement et régime alimentaire adaptés, gymnastique corporelle, et travail des sens (toucher, vision, odorat et olfaction, en particulier). Seguin recommande une pédagogie active, basée sur l'expérience pratique des choses, la stimulation de la mémoire, et l'apprentissage de la lecture et de l'écriture.

L'époque, quant à ce qu'on nommerait aujourd'hui les neurosciences, est à l'étude des registres sensoriels. L'ouvrage classique de Claude Bernard (1862, 1959) rend compte de cette quête en médecine expérimentale. Au plan psychométrique, l'allemand Fechner (1860) quantifie la sensation comme le logarithme de l'intensité de la stimulation. Wundt (1886), le fondateur du premier laboratoire de psychologie expérimentale, à Leipzig, étudie les temps de réaction à la stimulation sensorielle. Après l'intermède behavioriste dans la première moitié du

XXᵉ siècle (à la suite du manifeste de Watson, en 1913 [12]), cette base ainsi que les avancées en psychologie de la mémoire et en psycholinguistique ouvriront la voie à la neuropsychologie cognitive qui s'est imposée aujourd'hui.

Ce qui m'intéresse au premier plan, c'est la singulière contribution de Seguin à l'étude de ce qu'on appellera bien plus tard la trisomie 21. Dans son ouvrage de 1846, Seguin présente deux cas ressortissant potentiellement à cette catégorie nosologique.

Voyons ces deux cas en détail : un garçon (Paul de V.) et une fille (Cécile de G.), âgés respectivement de cinq ans et demi et de onze ans au moment de la prise en charge clinique. Ils proviennent tous deux de milieux socio-économiques relativement aisés (à en juger d'après leur apparence vestimentaire sur les photos jointes au texte). Les aspects somatiques sont de la plus grande importance pour juger du diagnostic en l'absence d'évidence caryotypique. Paul a le visage rond, petit, la bouche petite, les yeux bridés ; la taille ne paraît pas particulièrement réduite pour un enfant de cinq ans et demi. Cécile est photographiée de profil (gauche) et il n'est pas possible sur cette seule base de juger des yeux. Elle est photographiée en position assise sans qu'on voie les jambes pour pouvoir juger de la taille. L'identification photographique comporte ses limites. Il suffit de se reporter, par exemple, à « l'album photographique » des enfants porteurs d'un syndrome de Down, contenu dans l'ouvrage de Smith et Wilson (1973), pour mesurer la variabilité interpersonnelle au niveau des traits somatiques. On trouve dans cet album un peu toutes les physionomies, même s'il est possible d'identifier, en filigrane pour ainsi dire, quelques constantes somatiques.

Il pourrait s'agir de la première description de deux cas de trisomie 21. Avant d'approfondir le commentaire, il convient de contrer l'avis parfois émis dans la littérature (repris récemment par Verloes, 2008) selon lequel Esquirol aurait été le premier à décrire un ou plusieurs cas de trisomie 21 dans son ouvrage de 1838. J'ai personnellement lu page par page la volumineuse section « idiotie » de l'ouvrage d'Esquirol. Il y décrit soigneusement des dizaines de cas d'idiotie dite « simple » et d'idiotie imbécile. Je n'y ai trouvé aucune description qui de près ou de loin puisse faire penser qu'un des cas décrits corresponde même approximativement au phénotype de la trisomie 21.

Revenant à l'ouvrage de Seguin daté de 1846, le cas de Paul paraît bien correspondre à ce qu'on a appelé plus tard *le syndrome de Down*. On relève (pp. 538-546) une hypotonie généralisée, une implantation dentaire irrégulière, une anatomie défectueuse des organes de la parole, une langue épaisse (macroglossie), «sèche et comme fendillée transversalement» (p. 539), une voûte palatine plate et basse, les cheveux rares et absents par plaques (alopécie), une peau sèche et «comme farineuse» (p. 539). La marche a été tardive (trois ans). Paul monte et descend encore difficilement les escaliers, toujours avec appui. Il court peu et saute mal. La préhension est insuffisamment coordonnée. Il saisit bien un objet de la main, mais hésite à le lâcher et ne peut le jeter à quelque distance. Il ne cherche pas à s'habiller et «l'unique chose qu'il mange seul, la soupe, il la gaspille de droite et de gauche» (p. 540). La voix est rauque et enrouée. La parole est sans articulation appréciable. La mastication est incomplète et les digestions longues. Le sommeil est agité et la respiration presque toujours oppressée. Paul est peu développé intellectuellement (Seguin relève : «Il ne compare, ne choisit que parmi les objets qu'il désire ou dont il a besoin ; partout ailleurs ses facultés intellectuelles ne paraissent point exister», p. 541). Il ne sait ni lire, ni écrire. À partir de la prise en charge par Seguin, qui a duré trois ans, Paul a progressé rapidement. On a procédé d'abord à un apprentissage des lettres de l'alphabet, la parole restant presque nulle (seule l'émission des monosyllabes «ma» et «pa» était possible avec une voix faible). Seguin a fait intervenir une maîtresse de piano pour améliorer cette dernière. Toutefois, lorsque Paul a voulu commencer à parler en dehors des exercices dirigés, il s'est mis à bégayer. Ce bégaiement *incipiens* a été éradiqué, rapporte Seguin renvoyant sans autre précision à un ouvrage en préparation (à l'époque) sur *Guérison du bégaiement*. Au bout d'un an de travail éducatif, Paul a amélioré sa voix et son articulation. Il a appris à lire, à écrire, et à compter. Il s'est mis à feuilleter des livres d'images et à nommer spontanément objets et figures. À sept ans, il parlait intelligiblement mais toujours avec une articulation immature. À partir de l'âge de huit ans, il a pu suivre les cours de l'enseignement élémentaire. «… il sait des fables, de la mythologie, du catéchisme, etc.», termine Seguin (p. 546) ajoutant «Il est entré au collège [13] cette année.»

Le cas paraît suffisamment clair. Si on reprend la symptomatologie physique modale des personnes porteuses d'une trisomie 21 standard, telle qu'elle est admise aujourd'hui (par exemple, Benda,

- les enfants peuvent surpasser (un peu) leur «stupidité»)

hypotonia = low muscle tone

1960 ; Lambert & Rondal, 1979 ; Pueschel, 1995), on trouve une série d'indications convergentes. Ainsi, Paul présente bien une hypotonie générale, une implantation dentaire irrégulière ainsi qu'une anatomie défectueuse des organes de la parole avec macroglossie et fissuration linguale (observée chez une partie importante des individus porteurs d'une trisomie 21 âgés de cinq ans et davantage ; Engler, 1949 ; Pueschel, 1983), une voûte palatine plate, une alopécie capillaire (pas évidente sur la photographie fournie avec le texte de Seguin), une peau sèche, une voix rauque, des difficultés articulatoires associées à une mastication incomplète des aliments, et un sommeil perturbé avec oppression respiratoire. Le développement langagier est très retardé ainsi que l'évolution cognitive.

Parmi les symptômes physiques fréquents du syndrome non mentionnés par Seguin [14], je relève les replis épicanthaux (pli cutané de la commissure interne des yeux, bi- ou unilatéralement) présents chez la majorité des individus porteurs d'un syndrome SDL (Lee & Jackson, 1972), les fentes palpébrales obliques (97 % des cas ; Pueschel, 1984), les taches dites de Brushfield (*ibidem*), l'hypoplasie nasale (84 % des cas ; Pueschel, 1983), les oreilles courtes et le cou court avec souvent replis cutanés (abondance de tissu sous-cutané) sur la nuque, les extrémités courtes (mains et pieds ; surtout pour les portions distales [près de 100 % des cas ; Pueschel, 1983]), brachydactylie et clinodactylie auriculaire courbé vers les autres doigts (50 % des cas ; Benda, 1960), un seul pli palmaire au lieu de deux (environ 50 % des cas ; Pueschel, 1983), une taille réduite (surtout au-delà de 4 ans d'âge), un strabisme convergent (plus rarement), un léger espacement entre le premier et le deuxième doigt de pied avec un court sillon entre les deux doigts au niveau de la plante du pied.

Il y a trois possibilités au sujet de ce qu'on pourrait considérer comme une carence descriptive. Soit Paul n'est pas porteur d'une trisomie 21 et ses symptômes sont des symptômes qu'on peut trouver également dans d'autres syndromes congénitaux du handicap cognitif. Soit il présente bien le syndrome en question mais n'exhibe pas certains des symptômes qui y sont fréquemment observés. On rappellera à ce sujet l'indication (Pueschel, 1995, notamment) selon laquelle la symptomatologie dans la trisomie 21 (et d'autres syndromes génétiques du handicap cognitif) est de nature probabiliste (et non déterministe). Cela signifie que chaque symptôme a une certaine probabilité d'être exprimé à un degré variable et qu'aucun sujet porteur du syndrome ne présente la gamme complète des caractéristiques physiques, cognitives, et langagières, ni au même degré. On ajoutera qu'aucun symptôme du syndrome SDL n'est pathognomonique, c'est-à-dire purement spécifique au syndrome (Pueschel, 1995 ; Rondal, 1995a). C'est l'ensemble des symptômes (le profil phénotypique en termes modernes) qui est caractéristique du syndrome (Rondal & Perera, 2006).

Il s'ensuit que Paul peut très bien présenter certains symptômes ou sous-ensembles de symptômes fréquents dans la condition et pas ou beaucoup moins d'autres. Soit encore, il s'agit d'un cas de mosaïcisme (où seule une partie des cellules du corps contient une triplication du chromosome 21), une caractéristique génétique que Seguin ne pouvait soupçonner et qui a comme conséquence une moindre expression des marques somatiques du syndrome et un meilleur pronostic quant aux développements cognitif et langagier [15]. Des remarques du même ordre peuvent être faites à propos des observations *princeps* de Langdon Down. Une symptomatologie relativement complète et détaillée du syndrome SDL émerge seulement dans la première moitié du xxe siècle (Gustavson, 1964), répondant à la nécessité de disposer d'un instrument diagnostic descriptif (en l'absence d'indications caryotypiques à ce moment).

Le cas de Cécile est moins clair. À l'âge de onze ans, elle présente un strabisme, une microcéphalie marquée, une hypotonie généralisée avec malocclusion buccale et protrusion linguale, une langue épaisse, et une salivation excessive. Les lèvres sont molles, les dents mal implantées, le voile du palais est bas avec un hiatus laryngien étroit et limité. Les doigts sont courts, l'équilibre statique incertain. La marche reste mal assurée (Cécile n'a pas marché seule avant huit ans). L'audition est normale et la voix forte, avec dominance des fréquences basses. La parole se limité à quelques monosyllabes (« ma », « ta »). La mastication est médiocre, Cécile n'a commencé à contrôler ses sphincters que vers dix ans. Aucune mention n'est faite d'une série d'autres symptômes, certains relevés chez Paul et d'autres non (voir ci-dessus).

Ce qui ne peut manquer d'étonner dans les cas de Paul et de Cécile, c'est la très favorable évolution sur un intervalle de quelques années pendant lesquelles ils ont été rééduqués selon les recommandations de Seguin. À qui connaît la difficulté, même aujourd'hui avec des connaissances, des moyens supérieurs et une prise en charge plus précoce, d'habiliter un enfant porteur d'une trisomie 21, les réalisations exposées sont presque incroyables. Qu'on en juge. Paul, écrit Seguin (1846, p. 546), «... n'a eu besoin de mes soins assidus que pendant trois ans. Depuis l'âge de huit ans, il a commencé à apprendre les choses que l'on enseigne à tous les enfants... il sait des fables, de la mythologie, du catéchisme...».

Dans le cas de Cécile, après trois années de traitement, on observe une réduction de l'hypotonie y compris buccale (élimination de la protrusion linguale, contrôle salivaire amélioré, statique et marche normalisées), relèvement du front, gain de dix centimètres de périmètre crânien, normalisation de la voix et de l'articulation. Elle a appris à s'exprimer oralement et par écrit. Le calcul reste son point faible et elle ne comprend toujours pas la valeur quantitative de l'argent. Le fait que Cécile puisse être passée, sur un intervalle de trois ans à partir de onze ans d'âge, même avec un investissement parental énorme («... une constante – de travail éducatif – de dix et douze heures par jour... plusieurs années de suite...»; Seguin, 1946, p. 591), possiblement avec les meilleurs maîtres, et, certes, avec la guidance d'un mentor aussi compétent que Seguin, d'un niveau très faible à une expression orale et écrite correcte, correspond difficilement au tableau clinique habituel dans le syndrome SDL et même dans d'autres syndromes congénitaux du handicap cognitif grave. Quelle était réellement l'étiologie du cas Cécile? Impossible de trancher.

l'imptc. de la nurture

Paul a présenté un parcours de développement très favorable à partir de cinq ans d'âge jusqu'à environ quinze ans, suivant l'habilitation dirigée par Seguin, jusqu'à son entrée au collège. Ce type de parcours est davantage compatible avec celui objectivé dans une série de cas d'évolution favorable chez des enfants porteurs d'un syndrome SDL au XXe siècle (cf. ma monographie concernant le cas de «Françoise»; Rondal, 1995b). On a documenté, dans la littérature récente, deux autres cas d'évolution favorable chez des personnes affectées du même syndrome. Pablo Pineda (2002, 2008) est une des très rares personnes porteuses d'un syndrome de Down non mosaïque (trisomie standard ou libre [16]) à avoir réussi un parcours complet dans l'enseignement secondaire, fréquenté une université espagnole et obtenu une licence en éducation spéciale. Un cas du même genre a été rapporté par Moreira et ses collaborateurs (2000). Il s'agit d'un homme de nationalité brésilienne, caucasien, aujourd'hui âgé de quarante-deux ans, qui après d'excellentes études secondaires a réussi deux années à l'université de l'état de Sao Paulo en Administration des Affaires. Il a été contraint d'abandonner ses études sur avis médical en raison d'une grave dépression causée, semble-t-il, par les moqueries et les réactions de rejet dont il était l'objet à l'université. Cette personne est porteuse d'une trisomie de type mosaïque et dispose d'un quotient intellectuel de 99, soit bien dans l'intervalle psychométrique de normalité. Même si de tels cas sont rares, ils existent. Il est possible que Paul, le cas étudié par Seguin, et peut-être celui de Cécile, aient été du même ordre.

Voyons l'ouvrage de Seguin publié aux États-Unis, en langue anglaise, en 1866. L'intitulé complet est *Idiocy and its treatment by the physiological method*. Il ne contient pas d'analyse de cas individuels. L'ouvrage envisage de définir une approche thérapeutique (nommée « méthode » ou « éducation physiologique ») qui reprend, en les systématisant, les principes éducatifs énoncés dans l'opus de 1946, et, en préalable, de proposer une classification des divers sous-types d'idiotie. Seguin distingue les idioties simples de celles complexes (« *complicated* », en fait ; Seguin, 1866, p. 25). Dans la première catégorie, on trouve l'idiotie endémique liée (« *intervowen with* » ; *ibidem*) au crétinisme alpin et à un crétinisme des plaines (« *lowland cretinism* » ; *ibidem*). Ce dernier est caractérisé par la présence d'un goitre discret et une carnation de peau de couleur gris-paille. On y trouve également le crétinisme furfuracé qui paraît bien correspondre au syndrome SDL [17]. En voici la description : « Il en va de même [18] pour le crétinisme furfuracé avec sa peau d'un blanc-laiteux, rosée, et desquamante ; avec son raccourcissement de tous les téguments corporels, lequel confère un aspect non fini aux doigts et au nez ; avec ses lèvres et sa langue craquelées, ses conjonctives rouges…, ressortant pour constituer les replis cutanés à la marge des paupières » (Seguin, 1866, p. 26, ma traduction). Dans la seconde catégorie, Seguin range les effets des convulsions, l'épilepsie du jeune enfant, la chorée, l'hydrocéphalie, et même certains cas de cécité et de surdité profonde congénitale. Il signale (p. 28 et suivantes), dans tous les cas d'idiotie, une série de symptômes comportementaux et neurologiques, dont une réduction voluminique des hémisphères cérébraux et cérébelleux.

Certains aspects de l'opus 1966 de Seguin ne laissent pas d'être ambigus. Cette ambiguïté a pu jouer en sa défaveur au moment de reconnaître la paternité des premières identifications du syndrome SDL. En effet, dans l'ouvrage précédent (1848), Seguin (critiquant Esquirol et d'autres prédécesseurs) prenait grand soin de distinguer le crétinisme de l'idiotie, tout en signalant que la première catégorie pouvait déterminer un développement mental très retardé de type idiotie et/ou imbécillité, mais que les causes organiques étaient dans l'un et l'autre cas bien différentes. Toutefois, dans l'opus de 1866, sans autre explication, Seguin introduit un crétinisme des plaines et parle ensuite de « crétinisme furfuracé » pour désigner apparemment ce qu'on appelle aujourd'hui le syndrome de Down. Il est possible que cette singularité ait gêné les lecteurs de Seguin (s'il s'en est trouvé) au XXe siècle au moment d'attribuer un patronyme au syndrome ; particulièrement si les lecteurs en question (de langue anglaise ; cf. plus haut la lettre du *Lancet* et la décision subséquente de l'Organisation Mondiale de la Santé) se sont arrêtés à l'ouvrage de 1866, publié en anglais, et n'ont pas consulté celui (plus pertinent au point de vue historique) de 1846, publié en langue française (et également d'une longueur peut-être excessive, propre à décourager toute tentative d'analyse par un lecteur étranger peu familier avec l'idiome).

Quoiqu'il en soit, il reste peu discutable que Seguin a bien proposé, dès 1846, la ou les premières descriptions du syndrome SDL avec de pertinentes suggestions, empiriquement basées, quant à l'éducabilité et même l'instructionnabilité des enfants porteurs de cette condition congénitale.

-Un français était le 1e à «découvrir» le syndrome de Down mais il n'a pas reçu le crédit

Chapitre 2
Les observations de Langdon Down

Médecin hospitalier londonien, originaire des Cornouailles, John Langdon Haydon Down, qui préférait être appelé Langdon Down, a dirigé à partir de 1859 le Royal Earlswood Asylum of Idiots, à Redhill, dans le Surrey. Il créa ensuite une institution correspondante, appelée « Normansfield » [19], à Hampton Wick, dans les environs de Londres, tout en étant médecin assistant dans plusieurs hôpitaux londoniens, notamment le (Public) London Hospital. C'est à Redhill qu'il effectua ses observations initiales sur les dysmorphies faciales, le palais dur et la langue – « macroglossique chez trois sujets sur quatre, et présentant des sillons transversaux et baignant dans la salive » – dans un groupe particulier de ses patients dont Langdon Down affirmait qu'ils se ressemblaient tous au point de croire qu'ils provenaient de la même famille. Ces premières observations sur seize cas firent l'objet de rapports internes non publiés en 1862 et 1865 (assortis de photographies dont environ deux cents existent encore). En 1866, Langdon Down publie un court article, qui fera l'histoire, dans les *London Hospital Reports*, intitulé *Observations on an ethnic classification of idiots*. Il y remarque que les classifications disponibles des effets de ce qu'il nomme « les lésions mentales congénitales » sont vagues au point d'être sans utilité pratique, ce qui l'amène à envisager une classification « ethnique » lui paraissant plus féconde. Il rapporte avoir observé à sa consultation des « exemplaires » de la famille caucasienne, malaisienne, et amérindienne, chacune avec ses caractéristiques physiques (type de cheveux, mâchoires, bouche, pigmentation de la peau, etc.). L'article est dévolu plus particulièrement aux « représentants », nombreux, affirme-t-il, de la « *great Mongolian family* ». Down ajoute : « Un très grand nombre d'idiots congénitaux sont des mongols typiques » (1866, p. 260 ; ma traduction), d'où le label proposé « *Mongolian idiocy* » (« idiotie mongolienne »). Suit une description des aspects physiques : face plate et joues arrondies, yeux placés obliquement, epicanthus internes davantage éloignés l'un de l'autre que normalement, ouverture palpébrale étroite, nez petit, peau déficiente en élasticité et plutôt jaunâtre, coordination des mouvements imparfaite, et un possible dysfonctionnement thyroïdien. Langdon Down ajoute que ces enfants peuvent apprendre à parler mais avec des difficultés articulatoires et une intelligibilité de parole réduite, et qu'ils répondent le plus souvent bien aux tentatives d'éducation. Plus tard (repris dans Langdon Down, 1887), il identifie les replis épicanthaux avancés comme caractéristiques de la condition et l'observation du placement de l'oreille plus bas sur le crâne que normalement. Son fils, Reginald (ayant repris la direction de Normansfield à la mort de John en 1896), a relevé, en 1908, pour la première fois, semble-t-il, les taches grises sur l'iris de l'œil, spécifiées par Brushfield en 1924 et qui portent désormais le nom de ce dernier (indications reprises à Ward, 2002).

L'origine de la pathologie, selon Langdon Down, est congénitale plutôt qu'héréditaire. Il spéculait que la tuberculose parentale pouvait entraîner la régression prénatale impliquée, pensait-il, par la condition de mongolisme. À la même époque, Seguin (1966) affirmait que la condition en question est déterminée par une importante déficience nutritive *in utero* et chez le nouveau-né, laquelle a pour effet de bloquer le développement du système nerveux. On n'a guère avancé sur la question de l'étiologie à ces époques et pour cause puisqu'il faudra attendre la première moitié du XXe siècle pour les premières hypothèses génétiques moléculaires[20].

Une seconde affirmation de Langdon Down est que l'état physique et mental des personnes porteuses de la condition est en rapport avec la température ambiante. Avancées en été et régressions en hiver. Une troisième indication, enfin, part de l'idée que les « espèces humaines » (entendez, plus exactement « les races » ou mieux « les ethnies ») sont des variations sur un thème unique, ce qui est pertinent ; pour proposer à partir de là que les pathologies mentales peuvent provoquer une régression d'un niveau ethnique à un autre ; de l'ethnie caucasienne, par exemple, à celle mongole. Cette indication implique, bien que Down ne s'étende pas sur ce point, que serait avérée une hiérarchie des ethnies, où la caucasienne occuperait la place dominante suivie dans l'ordre par les Malais, les Amérindiens, les Éthiopiens, et les Mongoliens (une telle croyance ou quelque chose du genre mais toujours avec les

Caucasiens en haut de liste, était répandue en Europe et en Amérique du Nord à l'époque ; Kevles, 1999).

On remarquera que deux des caractéristiques physiques que Langdon Down attribue aux personnes porteuses d'une idiotie mongolienne ne sont pas invariablement observées. Pueschel (1995) relève que le repli épicanthal est présent seulement chez 57 % des personnes porteuses du syndrome. En outre, il ne correspond pas à l'anatomie des races orientales. Chez ces dernières, la fente palpébrale se prolonge dans la partie orbiculaire de la paupière supérieure, cette partie se superposant à la partie moyenne en un repli cutané qui se prolonge jusqu'à l'arrière et recouvre partiellement la caroncule lacrymale. Tandis que dans le syndrome SDL, le repli épicanthal commence dans la paupière supérieure, se prolonge autour de l'angle interne de l'œil, et se termine par le bas dans le tissu cutané du sillon du infra palpébral. Additionnellement, les taches dites « de Brushfield » observées par Reginald Down ne sont pas invariablement présentes chez les personnes porteuses d'un syndrome SDL (dans 75 % des cas, environ ; Pueschel, 1983).

Contrairement à ce qu'on pourrait penser, la classification ethnique de Langdon Down ne procède pas d'une forme de racisme ou de préjudice ethnique primaire. Il envisageait ses conclusions comme prouvant l'unité de l'espèce humaine dès lors qu'un membre déficient d'une race blanche (selon les termes de l'époque ; caucasienne, aujourd'hui) pouvait présenter certains des traits caractéristiques d'une race non blanche (par « régression », soit une hypothèse inspirée de l'évolutionnisme Darwinien [Darwin, 1859] puisque s'il y a évolution, il peut théoriquement y avoir aussi régression). Le raisonnement n'est pas illogique mais sa première prémisse est infiniment discutable, celle qui postule une hiérarchie des ethnies. Down a utilisé son interprétation de l'unité de l'espèce humaine pour réfuter les arguments avancés par les défenseurs de l'esclavage noir aux États-Unis pendant la guerre civile américaine (Ward, 1998, 1999).

Il reste que la proposition terminologique et la classification ethnique de Langdon Down, même avalisées à son époque, sont outrecuidantes. Elles ternissent les mérites pourtant considérables du médecin et philanthrope anglais.

La terminologie inventée par Langdon Down a été adoptée rapidement dans les décennies suivantes un peu partout dans le monde occidental, si ce n'est parfois avec une variante terminologique. Fraser et Mitchell (1876), par exemple, publient une série d'observations sur soixante-deux cas dits d'«idiotie kalmuck» (ou «kalmouck»)[21]. En langue française, Bourneville (1903) est le premier à utiliser les expressions «idiotie mongolienne» et «mongoliens» dans ses études de cas. Il mentionne aussi l'expression «idiotie kalmouk». Une littérature importante apparaît à la fin du XIXe siècle avec la tendance à parler plus d'*imbécillité mongolienne* que d'*idiotie*, soit une réévaluation vers le haut. On trouve dans certains travaux l'hypothèse d'un lien entre l'âge maternel au moment de la conception de l'enfant et l'incidence de la condition (par exemple, Shuttleworth, 1909) ; l'association sera confirmée statistiquement par Penrose au siècle suivant sur la base des données compilées dans le *Colchester survey* (Penrose Papers, non daté, dossier 61/2 ; Kevles, 1999). Le mécanisme causal privilégié à l'époque est celui d'un «épuisement utérin» par grossesses répétées et/ou avancement en âge.   *exhaust*[^]

Un point surprenant est le temps qu'il a fallu (pratiquement un siècle, voir plus haut) pour révoquer officiellement l'appellation «idiotie mongolienne» et davantage de temps encore pour éliminer les expressions plus populaires «mongolisme, mongolien, mongolienne»[22].

En 1931, dans la troisième édition de son livre à succès, le médecin anglais Crookshank identifie toujours sans réserve les individus porteurs d'une imbécillité mongolienne avec les Mongols d'Asie. La première partie du titre de l'ouvrage est édifiante : *The Mongol in our midst* (*Le Mongol chez nous*), où Crookshank argumente que le syndrome est causé par «une unité caractérielle récessive, un vestige du passé évolutif humain, et que sans aucun doute du sang Mongol court dans les veines de nombreux Européens ; ... une partie de la population britannique native possède un genre de constitution physique et psychique laquelle peut être extériorisée grossièrement et brutalement et accentuée chez certains idiots et imbéciles» (pp. 5-6, ma traduction)[23].

Comme indiqué, l'Organisation Mondiale de la Santé a décidé, en 1965, d'écarter l'expression «*Mongolian idiocy*» qui ne disparaîtra toutefois de l'*Index Medicus* qu'en 1975 (Howard-Jones, 1979). On ne peut même pas dire que le préjudice terminologique ait complètement disparu aujourd'hui dans le public (francophone, en particulier).

On se rappellera, il y a seulement quelques années, certaines répliques du film de Jaco Van Dormael, *Le huitième jour*, mettant en scène Daniel Auteuil et Pascal Duquenne, ou certaines tirades d'un des sketchs du comédien Patrick Timsit (lequel s'en est excusé ensuite).

Chapitre 3
La mesure du handicap cognitif

Au début du XXe siècle, les premières tentatives systématiques de mesurer la capacité intellectuelle se font jour. Le français Alfred Binet et son collègue Théodore Simon sont crédités de la mise au point du premier test d'intelligence (*Échelles Métriques de l'Intelligence de Binet et Simon*), en 1908, au Laboratoire de Psychologie Expérimentale de la Sorbonne, à Paris (Binet & Simon, 1908, 1911). Le projet répondait au souhait du gouvernement français de disposer d'un instrument quantitatif permettant d'identifier les élèves en difficulté scolaire pour insuffisance cognitive[24].

Le repérage des différences entre individus s'y faisait (pour la première fois) sur une échelle représentative des acquisitions typiques de chaque âge chronologique. La conception de l'intelligence de Binet et Simon est synthétique et solidaire de la notion de développement qui en fournit la métrique. Les modalités de réponse aux situations de test servent de jalons à une description des « formes successives » de l'intelligence de l'enfant plus qu'à une analyse de son fonctionnement. L'outil connaît immédiatement un grand succès. Le psychologue américain Terman en publie une adaptation en 1916 (*Terman-Stanford*; cf. Terman, 1916) avant plusieurs remaniements (notamment le *Terman-Merril*, en 1936). La technique permet, devant un protocole d'enfant quelconque, de lui attribuer un âge de développement. S'agissant d'un test d'intelligence globale, on parlera d'« âge mental » (AM). Par construction, la moyenne des âges mentaux des enfants d'un âge donné est égale à leur âge chronologique (AC). Un enfant en avance de développement présentera un AM supérieur à son AC, et inversement pour un enfant en retard de développement ou porteur d'un handicap cognitif. L'allemand Stern (1921) formalise le rapport entre AM et AC en un quotient dit intellectuel (le QI) dont la distribution suggère une moyenne de population autour de 100 points avec une déviation standard d'environ 15 points.

Un des problèmes techniques posés par les échelles de type Binet-Simon réside dans le fait que les échelons annuels ne peuvent être maintenus à tous les âges. Le développement cognitif typique des enfants est très rapide aux premiers âges. À partir de douze ans, en gros, un échelonnage annuel n'est plus suffisamment discriminatif. En outre, on plafonne à partir de seize ou dix-sept ans. Les techniques psychométriques élaborées ensuite ont abandonné la référence exclusive au développement pour départager les enfants selon des « échelles par point ». On y procède à un étalonnage par tranches d'âge successives. Cela permet de déterminer une tendance centrale (moyenne, médian ou mode) à chaque tranche d'âge. Sur cette base, on peut comparer le score obtenu par un enfant donné au groupe de son âge chronologique et le situer dans une distribution statistique. Cette technique a été développée par l'américain Wechsler (*Wechsler Intelligence Scale for Children*, 1949 pour l'adaptation française). Elle s'est largement imposée de nos jours. Les échelles par points ont été introduites en France par René Zazzo et son équipe dans la *NEMI* (*Nouvelle Échelle Métrique de l'Intelligence* ; Zazzo *et al.*, 1966).

Ce n'est pas l'endroit pour analyser en détail les problèmes liés à l'usage de notions comme l'AM, le QI, ou les quotients de développement (QD) qui peuplent la littérature psychométrique. Il existe de nombreux ouvrages et articles spécialisés sur la question. On pointera simplement les deux limitations (majeures) suivantes. La globalisation des scores obtenus aux divers sous-tests en une note unique (AM, QI, QD) provoque une énorme perte d'information, déjà dommageable lorsqu'on cherche à cerner le profil cognitif d'un individu en développement normal, davantage encore dans les handicaps et pathologies où on trouve des profils atypiques de forces et de faiblesses relatives que l'éducateur et/ou le thérapeute ont grand intérêt à connaître. En outre, comme il existe un grand nombre de possibilités d'obtenir le même score global (la réussite à tel ou tel item pouvant compenser l'échec à tel ou tel autre ; une bonne performance à un sous-test pouvant compenser une performance médiocre à un autre sous-test ; si l'on s'amuse à calculer le nombre de permutations non répétitives possibles à partir de plusieurs centaines d'items, le nombre résultant est très élevé).

Aggravant cette première limitation est le fait que la méthodologie des tests de développement influe sur le choix des contenus. On trouve invariablement sélectionnés des contenus et des processus cognitifs dont l'évolution liée à l'âge chronologique est relativement rapide et bien caractérisée eu égard à l'état des connaissances. Définir opérationnellement l'intelligence par le QI laisse de côté, par raison de méthode, des pans entiers de l'activité cognitive.

Nonobstant, l'application de la mesure psychométrique aux personnes porteuses d'un handicap cognitif s'est faite rapidement au début du XXe siècle. Binet et Simon la proposaient déjà dans un article daté de 1905. Émerge une classification en niveaux qui s'est maintenue pratiquement jusqu'à aujourd'hui avec quelques fluctuations terminologiques et dans la spécification numérique des niveaux eux-mêmes. Quatre niveaux sont communément reconnus :

– QI entre 50 et 70 : déficience (retard) mentale légère
– QI entre 35 et 50 points : déficience (retard) modérée
– QI entre 20 et 50 points : déficience (retard) sévère
– QI entre 0 et 20 points : déficience (retard) profonde

En France, on a longtemps parlé de débilité mentale (QI entre 50 et 70 points), débilité profonde (un contresens terminologique ; QI entre 30 et 50), et arriération profonde (QI entre 0 et 25 ou 30 points). On trouve également une distinction entre déficience mentale dite exogène (soit d'origine génétique – au sens de la génétique des populations – ou familiale ou encore socioculturelle) et déficience endogène (génétique « individuelle » ou organique)[25].

Depuis les premières décennies du XXe siècle, on a eu toute une série de définitions quantitatives du handicap mental, avec quelques variations selon les niveaux identifiés et la limite supérieure considérée, par les diverses associations nationales et internationales. Trois critères définitionnels sont utilisés : un déficit objectivement mesuré du fonctionnement intellectuel, le début de la pathologie au cours de l'enfance, et un déficit concomitant dans la sphère socio-adaptative (activités pratiques de vie, autonomie, etc.). Tant, par exemple, l'*American Association on Mental Retardation*[26] dans la version 1992 de son manuel, que le *Diagnostic and Statistical Manual de l'American Psychiatric Association* dans sa version 1994, donnent comme limite supérieure du handicap mental un QI situé entre 70 ou 75 points (assortis de difficultés socio-adaptatives). À ce dernier point de vue, on a mis au point des instruments idoines à commencer par le *Manual for the Vineland Social Maturity Scale* de Doll (1953) dont il a été établi qu'ils étaient fortement corrélés avec les mesures de QI aux niveaux bas du fonctionnement intellectuel mais beaucoup moins aux niveaux plus élevés.

La version 1992 du manuel de l'*American Association on Mental Retardation* comportait en outre une recommandation particulière, celle de se dispenser de situer les individus porteurs d'un handicap cognitif selon des niveaux quantitatifs. Le but recherché paraît avoir été de conceptualiser le handicap plus comme un problème d'interactions entre personnes et entre les personnes et l'environnement, et de souligner une continuité entre niveaux plutôt que des discontinuités psychométriques en partie artificielles. Toutefois, le domaine ainsi que les administrations dans les divers pays ont continué et continuent encore a utiliser les niveaux en question, sans doute en raison de leur simplicité technique et utilité classificatoire (même grossière). Polloway et ses collaborateurs (1999) ont trouvé en analysant les articles publiés entre 1993 et 1997 par les trois revues américaines *American Journal on Mental Retardation, Mental Retardation*, *Education and Training in Mental Retardation*, que 98,5 % des textes utilisaient les niveaux habituels de description (retard léger, modéré, sévère, et profond). Dans la même ligne, Denning et ses collaborateurs (2000) ont relevé que quarante-quatre des cinquante États américains plus le *District Fédéral de Columbia* ne suivent pas dans leurs textes officiels la recommandation de 1992 de l'association américaine.

Le mouvement psychométrique, à côté de mérites certains (classifications beaucoup plus précises qu'au XIXᵉ siècle [27] ; spécification des retards en termes de comportements et de capacités d'apprentissage dans une série de domaines), a abouti dans le cours du XXᵉ siècle à une sorte de ravalement du handicap cognitif à ses manifestations périphériques (les plus aisément mesurables). L'étiopathologie (certes, peu avancée à l'époque) et le phénotype neurologique (*idem*) ont été mis de côté dans les approches psychologiques et éducatives. Au sein de ces dernières, s'est faite jour une conception du handicap cognitif comme indépendante en pratique (sinon en principe) de l'étiologie et de la neurologie. Comme on le verra plus avant, ce type de conception, sans être fausse, manque par trop de sensibilité différentielle, outre le fait qu'elle escamote des pans entiers du déterminisme général des conditions pathologiques concernées. Une dimension étiologique (avérée ou fantaisiste selon nos connaissances modernes) avait été reconnue de longue date dans les compte rendus médicaux (crétinisme, idiotie mongolienne [28]) mais cette perspective était désormais considérée sans importance pratique par et pour les opérateurs comportementalistes. Ce type de métaconception s'est maintenu jusqu'aux dernières décennies du XXe siècle.

Enfin, il faut envisager la distinction entretenue également pendant la plus grande partie du siècle précédent, entre handicap cognitif endogène (encore dit pathologique, biologique, ou organique) et exogène (encore dit familial ou socioculturel), distinction dérivant indirectement de l'approche psychométrique puisqu'en pratique le premier type renvoie presqu'exclusivement aux niveaux de handicap modéré, sévère et profond, le second au handicap léger ou à la débilité mentale. Dans l'ouvrage collectif dirigé par Grossman (1983), on définit le handicap mental socioculturel comme répondant à cinq critères : (1) un retard intellectuel objectivé par un test standardisé (QI entre 50 et 75 points) ; (2) un déficit d'adaptation sociale ; (3) l'existence d'un retard intellectuel au sein de la famille (parents, fratrie) ; (4) l'absence d'atteinte cérébrale démontrée ; (5) un appauvrissement du milieu au point de vue des conditions socio-affectives et matérielles. La distribution dite normale des QI (au sens statistique du terme) est construite autour d'une tendance centrale de 100 points. Il s'agit d'une courbe « en cloche ». Le nombre d'individus situés au milieu de la distribution est le plus élevé. Il diminue de part et d'autre (à gauche et à droite) de la moyenne (moyenne, médian et mode correspondent si la distribution est parfaitement normale). La partie gauche de la distribution à partir et en dessous de 70 points est celle du handicap cognitif. On a souvent considéré jusqu'aux dernières décennies du XXe siècle que la partie supérieure de la distribution des QI à l'intérieur du handicap cognitif (soit le niveau de handicap dit léger) correspondait à une transmission héréditaire du handicap à l'enfant de la part des parents. Soit des parents eux-mêmes porteurs d'un handicap cognitif ou à la limite psychométrique de celui-ci engendrant des enfants porteurs d'un handicap cognitif sans atteinte organique cérébrale avérée. Cette conception est au moins curieuse dans la mesure où, premièrement, aucune différence véritablement qualitative n'a jamais été démontrée dans le fonctionnement cognitif entre individus porteurs d'un handicap léger et modéré, par exemple [29]. Secondement, la grossièreté des moyens d'investigation du fonctionnement cérébral dans la première moitié du XXe siècle aurait dû au minimum inciter à une saine prudence théorique. En 1973 encore, Dunn remarque qu'il est difficile d'établir avec certitude et précision un diagnostic de lésion cérébrale chez les personnes porteuses d'un handicap cognitif même modéré ou sévère (à fortiori donc pour le niveau du handicap léger). Dunn évalue grossièrement à 1/3 la proportion de cas où on peut suspecter une lésion cérébrale « plus ou moins diffuse » (*sic*), 1/3 de types étiopathogéniques relativement connus, et 1/3 de cas où l'étiologie est inconnue.

Un des protagonistes importants de ce courant de pensée est l'anglais Lionel Penrose (1934, 1949 ; Penrose & Smith, 1966), articulant une partie de ses conceptions sur les travaux de Haldane (1933, 1934, 1941), notamment, un des pionniers de la théorie mathématique de la génétique des populations[30]. Penrose a été influencé par son compatriote Lewis, lequel avait été chargé par le gouvernement anglais d'établir un relevé des cas de déficience mentale dans le royaume (repris en 1929 dans le rapport du *Joint Committee on Mental Deficiency*, 1929, vol. 1 p. 4, vol. 3 pp. 44-45, 51, 135-136 ; Penrose, 1965 ; Penrose Papers, dossier 147/3). Au cours de ce travail, Lewis avait été frappé par les disparités entre, d'une part, les individus « *feeblemind* » constituant environ 75 % des personnes porteuses d'une déficience mentale et tendant à se retrouver au sein de lignées familiales particulièrement dans les milieux sociaux défavorisés et les zones rurales, et, d'autre part, les individus à des niveaux plus bas distribués à peu près également dans les diverses classes sociales. Penrose a confirmé et étendu les observations de Lewis dans le *Colchester Survey* (1938), relevant notamment que les parents et les familles des personnes porteuses d'un handicap mental sévère étaient généralement sains. Seule une faible proportion était porteuse de la même condition, tandis que les parents des personnes porteuses d'un handicap mental léger présentaient fréquemment une condition du même type ou se situaient à la limite de la normalité psychométrique. Penrose a proposé une dichotomie entre le handicap mental dit socioculturel et celui dit pathologique (organique). La première catégorie reprend les individus qui présentent des déficiences dans le fonctionnement intellectuel mais peuvent être situés immédiatement en dessous des niveaux de normalité sur la courbe Gaussienne de distribution de l'intelligence (psychométriquement définie). La seconde catégorie est composée de personnes présentant des processus pathologiques clairement reconnaissables (par exemple, le mongolisme, l'hydrocéphalie, une microcéphalie prononcée, une sclérose tubéreuse, etc.).

Les conceptions de Lewis et de Penrose ont eu une grande influence sur la façon d'envisager, de catégoriser, et de traiter les enfants et les personnes porteuses d'un handicap cognitif, pratiquement durant tout le XXᵉ siècle. Et on ne peut affirmer que cette façon de voir ait complètement disparu, aujourd'hui, des pratiques scolaires et administratives, et même des rapports scientifiques.

Ce genre de considération est insatisfaisant d'un point de vue scientifique. Les arguments à l'encontre de la dichotomie organique/socioculturel (ou de quelque schéma classificateur « vertical » du même type) peuvent être résumés comme suit.

Il est erroné de répartir les syndromes considérés comme organiques entre des niveaux de QI fixés entre 0 et 50 points, même en tenant compte de l'erreur systématique de mesure dans les épreuves psychométriques. Nombre d'observations concernant soit des individus porteurs d'un handicap cognitif, soit des tendances centrales à l'intérieur de syndromes entiers (par exemple, le syndrome de Turner), montrent qu'on va souvent bien au-delà des 50 points de QI (cf. notamment, Dykens *et al.*, 2000 ; Rondal *et al.*, 2004). En outre, comme indiqué précédemment il n'est pas évident qu'il se trouve de claires différences qualitatives dans le fonctionnement mental entre personnes porteuses d'un handicap modéré, d'un part, et léger, d'autre part ; non plus, d'ailleurs qu'entre personnes considérées comme psychométriquement normales à des niveaux relativement bas de QI (parfois dites « borderline ») et personnes porteuses d'un handicap cognitif léger. La seule perspective descriptive sérieuse semble être celle envisageant uniquement des différences quantitatives au long de l'échelle des QI, sur fond d'homogénéité psychométrique parmi les humains. Le débat théorique « délai/différence » ou « simple retard/vrai déficit » qui a motivé beaucoup de publications à partir des années 1960, particulièrement dans la littérature de langue anglaise, concerne également la distinction qualitatif/quantitatif. On y relève des contributions comme celle d'Ellis (1969), persuadé que les personnes porteuses d'un handicap cognitif diffèrent des personnes normales à la fois de manière quantitative et qualitative. Les comparaisons empiriques effectuées par Ellis dans ses recherches ont privilégié les comparaisons de groupe appariés sur la base de l'âge chronologique ; ce qui magnifie les différences et peut facilement donner l'impression de « ruptures qualitatives » entre les performances des personnes en développement typique et celles porteuses d'un handicap cognitif. Inversement, Zigler (1969), auteur d'une théorie dite développementale du handicap mental privilégie l'hypothèse du « simple retard », mais ses propositions se rapportent au handicap léger.

Enfin, au point de vue génétique et organique, l'éventuelle diversité entre les personnes porteuses d'un handicap cognitif aux différents niveaux psychométriques est tout sauf claire à l'aune des connaissances actuelles. En effet, les descriptions médicales et neuropsychologiques de dizaines de syndromes d'origine génétique moléculaire du handicap cognitif (dont il sera question dans les chapitres suivants) qui couvrent l'éventail des niveaux de QI des plus bas aux plus élevés, révèlent, pratiquement dans tous les cas, d'importants problèmes organiques (anatomo-physiologiques), le plus souvent congénitaux, déterminant des trajectoires développementales, y compris intellectuelles, perturbées. Les recherches contemporaines démontrent l'existence chez des enfants porteurs d'un handicap cognitif léger sans étiologie organique connue, naissant au sein de familles moins favorisées (qu'on classifierait parmi les handicapés socioculturels selon les critères fournis plus haut), d'un sous-fonctionnement cérébral (mettable en évidence en imagerie cérébrale par des mesures métaboliques ou de flux sanguin), une atteinte cérébrale au moins diffuse, et, dans nombre de cas, telle ou telle atteinte, sous-développement et/ou déficit ponctuel du système nerveux central.

À mon sens, il convient de renoncer à la catégorie du handicap mental socioculturel au profit d'une conception du handicap cognitif comme correspondant à une condition organique génétique ou épigénétique, congénitale ou acquise, soit nécessairement un syndrome particulier. Un handicap « léger », comme traditionnellement le retard mental léger, « hérité » ou non, sans condition organique avérée, ressortit à un autre registre, celui d'une meilleure adéquation de nos systèmes scolaires et de nos sociétés modernes et postmodernes à toute une série de personnes dont les profils de fonctionnement cognitif ne rencontrent pas complètement nos standards les plus exigeants. Il est connu depuis longtemps que le retard « mental » léger n'est repérable qu'en période de scolarité primaire. Les personnes en question « s'évanouissent » dans la société au-delà de l'obligation scolaire. Il s'agit donc bien d'un problème d'école, de pédagogie adaptée et d'ouverture de nos systèmes d'enseignement ; soit un défi que nos établissements

✱ le système scolaire ✱

n'ont pas relevé adéquatement jusqu'ici. On rappellera dans ce contexte les analyses de Zigler et collaborateurs (cf. Zigler 1973), aux États-Unis, concernant la question de la motivation à apprendre chez les enfants et adolescents porteurs d'un handicap cognitif léger. Zigler soutient que la principale variable explicative pour les différences qui peuvent exister entre ces sujets et les sujets en développement normal appariés pour AM sont dues à la faible motivation à apprendre des premiers, elle-même résultant d'une histoire personnelle d'échecs répétés dans des systèmes scolaires inadéquats [31].

Revenant à la première partie du xxᵉ siècle, l'émergence de l'orientation psychométrique éclipse temporairement les préoccupations relatives à l'étiologie des handicaps cognitifs, lesquelles à l'époque étaient, comme indiqué, peu avancées (Warkany compile trente-cinq théories contradictoires concernant l'étiologie du «mongolisme» en 1960).

Il importe de voir comment émergent, dans la première moitié du siècle précédent et ensuite, des hypothèses et ensuite des considérations empiriquement établies relatives à la dimension étiopathogénique de «l'idiotie (imbécillité) mongolienne» ou «mongolisme», comme étiquetée à cette époque.

Chapitre 4
La trisomie 21

Plusieurs précurseurs ont eu le sentiment, dans la première partie du XXe siècle, que l'étiologie de l'idiotie (imbécillité) mongolienne était de nature génétique. Mais le faible niveau des connaissances en génétique moléculaire à l'époque a empêché la formulation d'hypothèses précises.

Les chromosomes sont observés pour la première fois en botanique par Von Nägeli dans la seconde moitié du XIXe siècle. Leur reconnaissance comme support de la transmission héréditaire est proposée indépendamment à la fin du XIXe siècle par divers chercheurs (Verloes, 2008). Mais il faudra attendre la redécouverte des travaux de Mendel et les recherches de l'américain Morgan sur la mouche drosophile, au début du XXe siècle, pour une confirmation (Kevles, 1999).

Waardenburg (1932) et Bleyer (1934) suggèrent que le mongolisme pourrait résulter d'une non-disjonction ou d'une duplication chromosomique indue. Mais à l'époque, aucune observation directe des chromosomes humains n'avait été faite et on ignorait toujours leur nombre exact. En 1956, Tjio et Levan, exploitant de nouvelles techniques de culture de tissus et de préparation cytogénétique, établissent que les chromosomes humains sont au nombre de 2n = 46 (et non 48 comme l'avait cru pendant quelques temps et comme c'est le cas chez les primates non humains ; Hsu, 1979), soit 22 paires d'autosomes ou chromosomes « somatiques » et une paire de chromosomes sexuels – formule XX pour les individus de sexe féminin et XY pour les mâles. Cette précision motive diverses équipes à rechercher les preuves de l'existence d'aberrations génétiques dans une série de pathologie humaines dont l'imbécillité mongolienne. Le rôle de Raymond Turpin, en France, dans ce courant de recherches mérite d'être souligné (cf. Bernard, 1989 ; Laplane, 1989). Dès 1937, Turpin, se fondant sur l'examen des familles de 104 personnes porteuses d'un syndrome SDL, est convaincu de l'acceptabilité d'une hypothèse explicative solidaire d'une anomalie chromosomique de type non disjonctif (London, 2009).

Au début des années 1950, Turpin entreprend avec son collaborateur Jérôme Lejeune (chercheur du CNRS attaché au laboratoire de Turpin) l'étude des types dermatoglyphiques palmaires des enfants atteints de mongolisme (Turpin & Lejeune, 1953a, 1953b, 1954). Ni Turpin, ni Lejeune ne prêtent crédit aux suggestions étiologiques de Langdon Down. À la consultation hospitalière, Lejeune avait eu l'occasion d'observer un enfant d'origine indochinoise porteur du syndrome mongolien, ce qui impliquait qu'il ne pouvait s'agir d'une régression ethnique à partir de la souche caucasienne. Les observations dermatoglyphiques font apparaître les caractéristiques spécifiques de quatre stigmates palmaires communes aux singes inférieurs et aux personnes porteuses du syndrome appelé mongolisme, à la différence des singes supérieurs (anthropoïdes) et des personnes normales, y compris les membres des familles des personnes porteuses du syndrome. Ces observations mettent Lejeune sur la piste génétique. Il spécule (Kevles, 1999, basé sur une interview non publiée avec Jérôme Lejeune) que les caractéristiques des lignes de la main chez les personnes porteuses du syndrome résultent d'effets polygéniques survenus en l'espace du processus reproducteur entre parents et enfants. Lejeune savait, par ailleurs, que les enfants « mongoliens » faisaient souvent des leucémies, lesquelles commençaient à être caractérisées par plusieurs aberrations chromosomiques au sein desquelles figuraient fréquemment le chromosome 21 (London, 2009). Dans un premier temps, ensuite, Lejeune influencé par les données publiées à l'époque sur une variété particulière de mouche drosophile (la « mouche à vinaigre »), soit la variété dite haplo-quatre[32], qu'il assimile à une sorte de mouche « mongolienne », en vient à l'idée que le mongolisme humain correspondrait à l'absence d'un chromosome au sein d'une paire d'autosomes, soit une formule chromosomique 45 (Kevles, 1999, interview avec Jérôme Lejeune). Les indications de Tjio et Levan (1956) contredisent cette possibilité. En juillet 1958, Lejeune et Gautier mettent en évidence chez un enfant le caryotype 47XX + 21 chez une fille (donnée non publiée ; London, 2009).

En 1959, Lejeune, Gauthier, et Turpin publient les premiers documents démontrant, dans un premier temps sur trois enfants (Lejeune *et al.*, 1959a), dans un second temps sur neuf enfants (Lejeune *et al.*, 1959b), l'existence de la trisomie 21[33] dans le mongolisme ; et ce malgré les doutes initiaux de Lejeune (Kevles, ibidem) sur le fait que le 47e chromosome pourrait être un artefact de la culture de tissu (dont on savait qu'elle avait tendance à l'époque à induire une augmentation de volume des structures organiques)[34]. Devant le nombre croissant d'observations concordantes, Jérôme Lejeune fait abstraction de son propre doute concernant une éventuelle erreur de mesure et confirme dans une conférence donnée à Montréal à l'Université McGill, en septembre 1958 (Kevles, 1999), la réalité de la trisomie 21 chez l'humain comme étiologie de ce qu'on appelait jusque là « idiotie (imbécillité) mongolienne » ou « mongolisme » ; non sans avoir entretemps revérifié sur plusieurs patients de l'hôpital Trousseau que le nombre normal de chromosomes humains était bien 46. L'indication étiologique de trisomie 21 est confirmée quelques mois plus tard par d'autres équipes de chercheurs (par exemple, Jacobs *et al.*, 1959). Toutefois, en 1966, Zellweger fait remarquer que le mongolisme pouvait tout aussi bien correspondre à une trisomie 22, car à ce moment les deux « petits » chromosomes ne pouvaient encore être clairement distingués par analyse morphologique. Ultérieurement, grâce aux techniques de fluorescence, il apparut que le chromosome 21 était en fait le plus petit chromosome humain ; il aurait du, dès lors être numéroté 22. Mais on décida de laisser les choses en l'état pour éviter de rendre confuse, du point de vue de la nomenclature, la littérature technique déjà importante sur le sujet (Gautier, 2009).

L'apport de Lejeune et de ses collègues dans les développements spectaculaires de la cytogénétique à partir des années 1950-60, et tout particulièrement quant au mécanisme central de la trisomie 21, est remarquable[35]. À l'hôpital Saint-Louis, à Paris, avec Turpin, à l'hôpital Trousseau, à Paris, ensuite, toujours avec Turpin, et puis comme chef de l'Unité de Cytogénétique de l'Hôpital Necker Enfants-malades, à Paris, pendant de nombreuses années, Lejeune a étudié avec son équipe plusieurs dizaines de milliers de dossiers chromosomiques et dirigé une consultation internationalement reconnue. Ses recherches biochimiques sur les insuffisances de production et d'utilisation des radicaux monocarbonés avec pour conséquence une altération des processus normaux de médiation synaptique et d'isolation des fibres nerveuses, ont ouvert des pistes de première importance concernant les causes neurophysiologiques du handicap cognitif dans la trisomie 21 (Lejeune, 1979, 1983, pour des synthèses).

Au plan éthique, ses prises de position contre l'avortement en général, le dépistage précoce des embryons humains porteurs d'une trisomie ou d'une autre aberration génétique suivi le plus souvent de l'élimination physique de l'enfant (opération revêtue de l'horrible appellation d'«avortement thérapeutique» – thérapeutique pour qui?) sont connues tant nationalement qu'internationalement (notamment depuis sa Présidence de l'Académie Pontificale de la Vie, créée par le Pape Jean-Paul II, en 1994). La Fondation Jérôme Lejeune pour «Les maladies de l'intelligence d'origine génétique», établie par la famille, les amis et les collaborateurs de Lejeune peu après sa mort, en 1996, poursuit son œuvre notamment au Centre Médical de l'Hôpital de Notre-Dame du Bon Secours, à Paris, et en favorisant financièrement un nombre important de recherches mondiales (surtout génétiques et médicales) sur la trisomie et les syndromes génétiques du handicap cognitif.

Diverses sous-catégories de trisomie 21 avec leurs mécanismes etio-pathogéniques particuliers ont été progressivement mises en évidence. Polani et ses collaborateurs (1960) ainsi que Penrose et ses collaborateurs (1960) ont documenté les premières trisomies 21 par translocation chez deux enfants. Les travaux spécialisés se succèdent ensuite grâce à la mise au point de nouvelles méthodes d'analyse et l'amélioration des techniques de culture de tissus. Le phénotype clinique du syndrome est mis en rapport avec la triplication d'un segment particulier du bras long du chromosome 21 (Niebuhr, 1974). On sait aujourd'hui que le syndrome SDL est provoqué par une triplication (complète ou partielle) du chromosome 21 (formule chromosomique 47); trisomie standard (libre et homogène) par non-disjonction méiotique [36], ou non-disjonction chez un des parents lors de la division d'une cellule précurseur des cellules reproductrices ou gamètes, dans 93% des cas selon les estimations habituelles; translocation (réciproque ou non) du bras long ou d'un fragment du bras long du chromosome 21 vers un autre chromosome, par croisement de segments de chromosomes et recombinaisons, dans 5% des cas [37]. Il existe également des cas de mosaïcisme (2%), où seulement une proportion des cellules du corps disposent de trois chromosomes 21; la proportion dépendant du moment où la triplication ou une translocation, nécessairement *de novo*, est intervenue dans le développement post-syngamique[38]. En 1969, McClure et ses collaborateurs rapportent un cas de trisomie 22 chez un chimpanzé femelle âgé d'un an présentant un important retard de croissance et une défectuosité cardiaque congénitale. On montre ainsi que la trisomie autosomale n'est nullement spécifique au processus reproductif humain.

Une carte de la région critique du chromosome 21 (dite HSA 21, entre 21q22 et 21q22.3) dans le syndrome SDL (Korenberg *et al.*, 1990) et la séquence complète (à 99,7 %) du chromosome 21 (Hattori *et al.*, 2000) ont été publiées. Le chromosome compte 33 546 361 paires de bases (Verloes, 2008) correspondant à environ 300 gènes (voir plus loin). Toutefois, on débat toujours de la suffisance de l'hypothèse d'une région critique pour expliquer les principaux effets phénotypiques de la condition. Des recherches récentes (cf. Florez, 2009, et Patterson, 2009, pour des synthèses) suggèrent que plusieurs autres régions du chromosome 21 (d'étendues plus limitées) peuvent également intervenir dans le déterminisme pathologique. Les travaux des dernières années ont permis d'identifier une vingtaine de gènes dans les territoires mentionnés qui paraissent être responsables individuellement ou en interaction d'un nombre de manifestations phénotypiques de la trisomie 21.

Dans la partie supérieure du chromosome 21, on a localisé un gène particulier (APP pour amyloïde-préprotéine ; Goldgaber *et al.*, 1987) responsable, au moins en partie, de la propension accrue chez les personnes porteuses d'une trisomie 21 complète (par rapport à la population standard) de présenter, plus tôt dans l'existence, une atteinte dégénérative sévère du cerveau connue sous le nom de maladie d'Alzheimer[39]. La proportion en question fait toujours l'objet de discussions. Elle paraît être de l'ordre de 17 % au-delà de quarante ans d'âge (Coppus *et al.*, 2006).

[handwritten marginalia: suffiency]

[handwritten marginalia: predis position increase]

Chapitre 5
Les dernières décennies du XXᵉ siècle et le début du XXIᵉ siècle

Malgré les jalons importants posés dans les recherches, publications, et actions du groupe Lejeune et d'autres généticiens dans les années 1950/1960, et ensuite, dans le domaine de la trisomie 21 et de quelques autres syndromes génétiques, comme les syndromes du Cri-du-chat (délétion chromosomique au niveau 5p ; Lejeune *et al.*, 1963), Turner (formule 45X0 ; Polani *et al.*, 1954), Klinefelter (formule 47XXY ; Bishop *et al.*, 1956 ; Ford *et al.*, 1959), les connaissances génétiques et neuropédiatriques concernant les conditions organiques des divers handicap cognitifs restent relativement peu élaborées. Le gros des travaux dans les prises en charge cliniques et les disciplines psychologiques, sociologiques, et éducatives, continuent, pendant une bonne partie de la seconde partie du XXᵉ siècle, à s'adresser à des populations mélangées d'enfants, adolescents, et adultes porteurs d'un handicap cognitif ; donc sans véritable perspective étiologique.

À titre d'exemple, dans un domaine que je connais bien, celui du langage, et sans que cela ne réduise le mérite des chercheurs de ces époques (bien que cela diminuât inévitablement la portée et restreignît la finesse de leurs observations[40]), sur un total de soixante-douze publications spécialisées en langue anglaise quant aux rapports entre handicap mental et langage, entre 1952 et 1974 (Rondal, 1975, pour une revue analytique), seulement dix (à partir du milieu des années 1960) font intervenir des sujets dont l'étiologie est identifiée (il s'agit invariablement du syndrome de Down) ou comportent un sous-groupe d'enfants ou d'adolescents porteurs de ce syndrome. Les sujets ayant participé aux soixante-deux autres recherches sont catalogués comme étant d'étiologie inconnue.

On assiste à partir des années 1970 à une lente prise en considération de la dimension étiologique dans les travaux neuropsychologiques et psycho-éducatifs. Ce mouvement correspond à un accroissement marqué des connaissances spécialisées en génétique clinique et en pédiatrie. Ainsi, on identifie génétiquement et on commence à décrire une série de syndromes génétique congénitaux déterminant un degré notable de handicap cognitif. À titre d'exemple, on documente les syndromes de Noonan (mutations d'une série de gènes sur le site 12q22 ; Noonan & Ehmke, 1963), Angelman (chromosome 15q11-13, étiologie complexe de type « imprégnation » ; dans la plupart des cas, neutralisation d'une série de gènes dans la région 11-13 du chromosome 15 d'origine paternelle avec simultanément délétion des mêmes gènes sur la copie maternelle du même chromosome ; Angelman, 1965 ; Christian *et al.*, 1995), Neurofibromatose de type 1 (un gène défectueux sur le site 17q11.2 ; Cale & Myers, 1978), et Rubinstein-Taybi (délétion d'un gène sur le site 16p13.3 ; Rubinstein & Taybi, 1963).

Le « mouvement » s'accentue dans les décennies suivantes. Moser relève plus de quatre cents syndromes génétiques déterminant un handicap cognitif, en 1992. Shprintzen (1997) catalogue et décrit sommairement plusieurs centaines de syndromes génétiques déterminant des troubles de la communication, de la parole, et/ou du langage, dont la plupart comportent également un handicap cognitif.

La comparaison des données syndromiques descriptives amène une prise de conscience des notoires différences existant entre les syndromes le plus souvent à niveaux de QI globalement équivalents ; ce qui contribue encore à réduire l'intérêt clinique et éducatif des catégorisations psychométriques. La variation intersyndromique apparaît considérable avec l'affinement des recherches sur les aspects neurologiques et neuropsychologiques des divers syndromes, même si ceux-ci comportent certains aspects communs (à un niveau de description souvent plus global : notamment retards marqués dans les divers domaines du développement, difficultés d'apprentissage, graves difficultés scolaires, fréquents problèmes de santé, etc.). Les choses sont particulièrement claires lorsqu'on compare les indications développementales et fonctionnelles dans le syndrome SDL avec d'autres syndromes majeurs dans le domaine (X-fragile, Williams, Rett, Prader-Willi, Cri-du-chat, Angelman, Noonan, Neurofibromatose de type 1), même si les seconds n'ont pas encore été étudiés aussi systématiquement que le premier. Cela a motivé notre récente proposition (Rondal & Perera [éd.], et une équipe internationale de spécialistes, 2006) de reconnaître (sur la base des données résumées dans l'ouvrage et qui concernent pratiquement l'entièreté du phénotype) une spécificité syndromique partielle au syndrome SDL (avec l'hypothèse complémentaire qu'une spécificité partielle soit également le cas pour les autres grands syndromes et constitue une dimension générale du secteur du handicap cognitif[41]). On notera que l'existence de profils syndromiques ne contredit ni ne réduit nullement l'autre source principale de variation, à savoir les notables différences interindividuelles dans les aspects phénotypiques des syndromes. La seconde source de variance, dont on sait qu'elle est également importante[42], est enchâssée, pour ainsi dire, dans la première. Les deux séries de paramètres (syndromiques et individuels) fournissent les coordonnées à partir desquelles on peut et doit définir l'approche clinique habilitative.

À partir de la fin des années 1960, dans certains pays comme les États-Unis d'Amérique, et des années 1970 dans la plupart des autres pays occidentaux, on voit se constituer, principalement à l'initiative des parents, des associations spécifiques (syndrome SDL presqu'exclusivement au début, puis X-fragile, Prader-Willi, Williams, etc.)[43]. L'objectif des parents d'enfants porteurs de ces syndromes était (et est toujours) de faire pression sur les pouvoirs publics, en s'alliant souvent avec des scientifiques et des professionnels, de façon à obtenir une meilleure reconnaissance de leurs difficultés et d'obtenir une aide plus substantielle de la part des administrations et des politiques de santé. Au départ et pendant une bonne dizaine d'années, les préoccupations concernaient surtout la mise en place de services d'aide précoce de manière à améliorer sensiblement la prise en charge médicale, psychologique et éducative des jeunes enfants porteurs du syndrome. Dans la seconde partie des années 1980, s'organisent, sur la base des associations nationales et/ou régionales qui concernent le syndrome SDL et sans se substituer à celles-ci (mais dans le but de mieux faire circuler l'information et de motiver réalisations pratiques et recherches spécifiques), des associations «continentales» (au départ, regroupant au moins quelques pays et s'étendant ensuite géographiquement). L'Association Européenne sur le Syndrome de Down (en anglais, *European Down Syndrome Association* ou EDSA) est formée en novembre 1987, lors du premier Congrès Européen sur le Syndrome de Down, tenu à l'Université de Liège. Les statuts sont ratifiés lors d'une réunion plénière tenue à Paris en février 1988 et publiés au *Moniteur Belge* (journal officiel) la même année. En 1993, dans le contexte du Congrès

Mondial sur le Syndrome de Down, tenu à Orlando, en Floride, il est décidé de créer un organisme mondial, le *Down Syndrome International*, chargé d'organiser tous les quatre ans un congrès mondial sur l'état d'avancement des connaissances et des réalisations dans le domaine à l'échelle de la planète.

Le dernier quart du XXe siècle et le début du XXIe enregistrent des progrès considérables à une série de point de vue ainsi qu'un accroissement très important des recherches spécifiques. Des milliers d'articles spécialisés sont publiés chaque année sur pratiquement tous les aspects des problèmes posés (génétique moléculaire, développement embryologique et fœtal, aspects neurophysiologiques, neuropsychologiques et neuropathologiques, annonce du handicap, prise en charge et suivi pédiatrique, intervention psycho-éducative précoce, croissance et développement physique, suivi médical, développement psychologique – langage, mémoire, socialisation, identité, problèmes de l'adolescence –, difficultés à l'âge adulte, qualité de vie, vieillissement) dont il est facile de se faire une idée en consultant les banques de données internationales. Des dizaines de livres et chapitres spécialisés sont publiés chaque année, particulièrement en langue anglaise. Ce n'est pas le lieu d'en faire le recensement. On signalera, à titre d'exemples, les ouvrages synthétiques dirigés par Epstein (1986), Cicchetti et Beeghly (1990), Rondal, Perera, Nadel, et Comblain (1996), Rondal et Edwards (1997), Rondal, Perera, et Nadel (1999), Rondal, Rasore-Quartino, et Soresi (2004), Rondal et Perera (2006), et Rondal et Rasore-Quartino (2007). Les connaissances actuelles concernant le syndrome SDL sont très importantes. On est en mesure désormais de préciser, à une multitude de point de vue, le parcours développemental depuis la fécondation jusqu'au vieillissement, soit une perspective de vie entière. Certes, de nombreuses questions restent sans réponse suffisamment précise, mais l'accumulation des connaissances techniques est impressionnante.

On peut, pour faire simple, définir trois registres à l'intérieur desquels se posent des problèmes difficiles qui doivent retenir notre attention. Il s'agit, en premier lieu, du diagnostic prénatal et de la question d'une intervention ciblée en matière d'intervention interdisciplinaire précocissime ; en deuxième lieu, de l'insertion scolaire, sociale et professionnelle et de la qualité de vie des enfants et des personnes porteuses d'un syndrome SDL ; et, en troisième lieu, des problèmes liés au vieillissement précoce et à une susceptibilité accrue à la maladie d'Alzheimer, avec en filigrane la perspective d'augmenter encore l'espérance de vie pour les personnes porteuses du syndrome. Analysons ces problèmes dans l'ordre.

Un aspect particulièrement délicat, éthiquement parlant, concerne le diagnostic prénatal de la condition de trisomie 21, possible aujourd'hui quelques semaines seulement après la syngamie (cf. Verloes, 2008). Jean-Marie Le Méné, Président de la Fondation Lejeune, et beau-fils de Jérôme Lejeune, n'hésite pas à parler, dans un ouvrage récent (2009), de «tragédie grecque» pour les personnes porteuses de la condition et de «meurtre d'état». Le Méné vitupère le dépistage prénatal aujourd'hui généralisé (bien au-delà des femmes âgées de plus de trente ou trente-cinq ans) aboutissant, dans 96% des cas, affirme-t-il, à l'élimination du fœtus; élimination fondée sur l'opinion, «qu'il est plus rentable de supprimer avant la naissance des personnes handicapées plutôt que de les laisser vivre» (2009, p. 61). Le chiffre de 96% est peut-être discutable. Florez (2007) estime à 80-90% les interruptions volontaires de grossesse en Espagne suivant un diagnostic confirmé de trisomie 21. Le *Portsmouth Down Syndrome Trust* parle de 50%, au Royaume Uni, indication stable depuis une quinzaine d'année (document interne non publié, juillet 2007). Quoiqu'il en soit du pourcentage, il s'agit de meurtres au sens où la plupart de ces bébés sont parfaitement viables[44]. Et pourtant, on ne peut refuser aux parents le droit de savoir si l'enfant qu'ils ont conçus se développe normalement *in utero* et est «normal» biologiquement parlant. Le problème, qu'on me pardonne cette expression terrible dans son réductionnisme, n'est pas le diagnostic prénatal en lui-même[45] mais l'utilisation qui en est faite dans nos sociétés. On se trouve en présence de trois séries de droits naturels imprescriptibles : le droit de la femme à disposer librement de son corps[46], celui des parents à avoir des enfants aussi normaux que possible, et celui, tout aussi inaliénable, du droit à la vie pour l'enfant à naître (outre le fait qu'elle ou il n'aura jamais statistiquement aucune autre chance d'exister). Simples mortels nous ne pouvons que constater cette opposition irréductible entre droits naturels contradictoires. Cela me conduit à une position de tolérance. Chacun confronté à un problème du genre doit rester libre de décider en conscience. Bien que je comprenne parfaitement la position de Lejeune (que j'ai eu l'occasion de rencontrer), de Le Méné, de la Fondation Lejeune, sur la

question, et des Églises (catholiques et musulmanes, pour autant que je puisse établir dans ce dernier cas), et que j'éprouve à leur égard une sympathie certaine, motivée, notamment, par le fait qu'elles présentent le seul positionnement entièrement cohérent, mon sens du libéralisme social et de la philosophie de la liberté individuelle me poussent à m'opposer à toute prescription totalitaire au profit d'un appel à la responsabilité individuelle, à condition qu'elle soient correctement informée (ce qui est loin d'être toujours le cas).

Nous nous sommes faits, au cours des dernières décennies, les avocats de la mise au point, de l'affinement, et de la généralisation de programmes scientifiquement motivés et correctement financés par les autorités publiques, d'intervention précoce et même précocissime (Rondal, 2009b). Les données à disposition (avec un recul aujourd'hui de trois dizaines d'années) montrent, en effet, que bien menés (par des opérateurs compétents) et suffisamment intensifs de tels programmes sont susceptibles de favoriser significativement le développement des personnes porteuses d'une trisomie 21 et de maximiser leurs capacités d'autonomie et d'intégration sociale et professionnelle. Une des raisons est que le développement neuropsychologique est hautement cumulatif. Pratiquement, tout gain instauré plus tôt dans l'évolution individuelle favorise les développements subséquents, permet de les hâter, et en conséquence d'atteindre des objectifs développementaux plus avancés que cela n'aurait été le cas autrement. La tendance actuelle (hautement justifiée pour les mêmes raisons) est de favoriser une intervention multidisciplinaire précocissime, c'est-à-dire menée systématiquement dès la naissance ou presque. On verra à ce sujet les données rassemblées et les recommandations cliniques issues du récent Symposium Internationale de Palma sur l'Intervention Précoce et Précocissime dans le Syndrome de Down (Rondal & Perera, éditeurs, en préparation) ainsi que l'article de revue de Guralnick (2005).

Quant à la scolarisation et l'insertion sociale et professionnelle des enfants et des personnes porteuses d'un syndrome SDL, le problème est également d'une grande complexité. Il est pourtant urgent de le résoudre au mieux car il y va de l'existence sociale et de la qualité de vie de ces personnes. En supposant qu'on leur reconnaisse enfin un droit inaliénable à la vie, comme chacun d'entre nous, il convient encore d'assurer que la vie en question vaille effectivement la peine d'être vécue.

[annotation manuscrite en marge : Controversie éthique en faisant un avortement si tard]

L'insertion sociale ne se résume pas à l'intégration scolaire mais elle en est tributaire. L'insertion professionnelle est davantage encore dépendante d'une scolarisation efficace permettant de pourvoir la personne porteuse d'une trisomie 21 de savoir-faire professionnellement pertinents. Énormément de choses restent à faire quant à ce dernier point, particulièrement au niveau sociétal, malgré des réalisations modèles dans certains pays et régions ; à commencer, sans doute, par une modification des mentalités traditionnelles voulant qu'une personne présentant un handicap cognitif important ne puisse participer véritablement à l'économie du pays et au monde du travail rémunéré. Il convient de mettre en place et de subsidier correctement des services décentralisés d'occupation professionnelle comme médiateurs entre les personnes handicapées, les familles, les employeurs, et les administrations responsables. Une société qui ne fait pas le maximum pour favoriser l'insertion professionnelle des personnes porteuses d'un handicap cognitif leur refuse *de facto* toute possibilité d'intégration sociale véritable, commettant un acte grave de discrimination à l'égard de ces personnes et se privant, par ailleurs, de ressources humaines loin d'être négligeables.

À côté de l'insertion sociale proprement dite, il se trouve un ensemble de questions importantes sur lesquelles les diverses associations nationales et internationales ont commencé à travailler, cherchant à faire « bouger » les pouvoirs publics. De façon non exhaustive [47], on mentionnera une place reconnue pour la personne porteuse d'un handicap cognitif dans la société, une participation citoyenne (précédée d'une éducation aux droits de la personne et à ses devoirs ; Rondal, 2003b), l'exercice des droits civiques fondamentaux (notamment, droit de vote, gestion assistée du patrimoine personnel et libre jouissance des successions), un meilleur soutien financier public, moral, et aux niveaux des services (de proximité, particulièrement) pour les personnes et leurs familles, une meilleure coordination de ces services, une individualisation des droits de la personne handicapée, un meilleur accueil et un hébergement aussi autonome que possible pour la vie adulte selon les besoins et les capacités de chacun, l'organisation et l'accès à des loisirs sains et attrayants, y compris la pratique du sport (cf., par exemple, Ruiz *et al.*, 2003), et une meilleure formation des professionnels en charge de l'administration et du fonctionnement des structures publiques et privées impliquées. Il importe aussi de

c'est assez tard
→ eugénis te ? .

réfléchir à la façon d'augmenter sensiblement la qualité de vie des personnes porteuses d'un handicap cognitif, notamment d'un point de
vue affectif (Haelewyck & Ruelle, 2001 ; Mercier, 2003). Le droit à la
sexualité doit être affirmé (en conformité avec la reconnaissance par
les Nations Unies – 1993 – du droit à la sexualité pour tout être humain
indépendamment du type et de la gravité du handicap) et faire l'objet
d'une éducation spécialisée chez les enfants et les adolescents (Agthe
Diserens, 2003 ; Veglia, 2004).

Voyons plus en détail ce qui est un des nœuds en amont du problème général, à savoir la scolarisation des enfants porteurs d'un handicap cognitif, en particulier d'un syndrome SDL. Deux conceptions
s'opposent depuis plusieurs décennies, qui devraient être envisagées
comme complémentaires. Il y a, d'une part, la « traditionnelle » éducation scolaire spécialisée, maternelle, primaire, et secondaire, où se
retrouvent distribués en gros par niveaux d'âge, niveaux psychométriques, et niveaux de développement adaptatif, des enfants et des adolescents présentant un handicap cognitif et cela, en gros, jusqu'à la fin
de l'obligation scolaire. Des maîtres en principe spécialement formés
sont chargés d'éduquer et d'instruire autant que possible ces enfants et
ces adolescents. Ce type de scolarisation fournit un contexte éducatif
approprié et sécurisant. Il organise les apprentissages en respectant les
rythmes de développement particuliers des élèves. L'inconvénient
réside dans la ségrégation scolaire que les écoles « spéciales » détermi-
nent inévitablement. On a parfois parlé, non sans excès, de ghetto, pré-
lude à un rejet social et partant professionnel. Il n'est pas niable que ce
faisant on procède à une discrimination basée sur la capacité intellectuelle.

La seconde conception générale est celle de l'intégration scolaire
des enfants porteurs d'une trisomie 21 (et d'autres handicaps mentaux
et/ou physiques) dans les écoles « ordinaires », soit par disposition
légale inopposable, soit au cas par cas selon les capacités de l'enfant,
la volonté des parents, et l'acceptation de l'école qui intègre. Dans
certains pays, il s'agit davantage d'une tolérance de la part du disposi-
tif éducatif que de l'exercice d'un droit.

Nos amis italiens ont, les premiers en Europe, à travers une série de
lois passées entre 1971 et 1999 (Neri, 2001a,b), aboli l'enseignement
spécial au profit d'une obligation faite au système scolaire d'intégrer

en principe tous les enfants et les adolescents présentant un handicap. La Déclaration Européenne de Salamanca, le Forum Européen des Personnes Handicapées, et la Charte de Luxembourg passée en 1996 à l'initiative de la Commission Européenne, se sont faits les avocats d'une école « pour tous et pour chacun, quel que soit le niveau d'enseignement et de formation et ce tout au long de la vie ». Le Forum Européen (qui regroupe plus de soixante organisations de personnes handicapées – dont EDSA, l'Association Européenne sur le Syndrome de Down) a demandé aux pays de l'Union de faire en sorte, légalement et dans la pratique, que les personnes porteuses d'un handicap reçoivent une éducation et une formation identiques à celles des autres citoyens. Il a relevé que les enfants et les adolescents handicapés, notamment mentaux, sont les victimes d'une forme persistante de discrimination dans l'accès à l'éducation et aux systèmes de formation à tous les niveaux. En conséquence, ils reçoivent le plus souvent une éducation qui reste inférieure à leurs possibilités réelles. Le Forum exhorte les instances nationales à veiller à ce que les systèmes d'éducation et de formation soient revus de façon à doter les personnes handicapées de compétences réelles (document FEPH, résumé dans la *Revue de l'AFrAHM*, 2001, 23, 7-9).

L'insertion en milieu scolaire ordinaire, tout désirable qu'elle soit y compris aux yeux de nombreux parents, n'est pas sans faire difficultés pour les enfants porteurs d'une trisomie 21 et leurs familles. Le document de revendications rendu public conjointement par les associations belges, dont il a été question précédemment, fait état des nécessités suivantes non rencontrées aujourd'hui : une garantie que chaque enfant ou adolescent pris en charge fasse l'objet d'un plan individualisé d'apprentissage, soit donc avec une évaluation précise de départ et un suivi régulier ; une meilleure collaboration, en fait un vrai partenariat, avec les professionnels paramédicaux (logopèdes, psychomotriciens, kinésithérapeutes) et les psychologues spécialisés ; une exigence de continuité dans les solutions éducatives. Ce dernier point est particulièrement important dans la mesure où, si l'intégration en milieu scolaire ordinaire est possible pour nombre d'enfants aux niveau maternel et pour les premières années du primaire, elle devient beaucoup plus exigeante et difficile à mener avec l'augmentation en âge étant donné les rythmes de développement plus lents des enfants porteurs d'un handicap cognitif et les difficultés d'apprentissage qui sont les leurs ; ce qui provoque un « décrochage » graduel, le plus souvent irréversible, avec les progressions des enfants en développement normal.

On peut ajouter aux remarques précédentes la nécessité de pouvoir disposer dans les classes qui intègrent un enfant porteur d'un handicap cognitif, d'un maître (maîtresse) auxiliaire, d'appoint, etc., dûment formé, de façon à éviter que l'intégration n'aboutisse, faute de temps nécessaire chez le maître ou la maîtresse titulaire, à une garderie plutôt qu'à une scolarisation véritable.

Mais même bien menée l'insertion d'un enfant porteur d'un handicap cognitif en milieu scolaire ordinaire reste une entreprise délicate. Philosophiquement, je suis pour et en accord avec les tenants et les réalisations exemplaires des responsables italiens en ces matières. Toutefois, on peut se demander, compte tenu du coût élevé, personnel et familial, chez l'enfant handicapé intégré et les limitations discutées ci-dessus (continuité dans le parcours scolaire, notamment), s'il ne convient pas de se mettre à la recherche et d'expérimenter des solutions originales. Une perspective intéressante, à mon sens, serait d'abolir les séparations physique et pédagogique entre enseignement ordinaire et spécialisé, à envisager dès lors comme complémentaires et non plus en rivalité voire en opposition. Diverses tentatives sont en cours ou ont été réalisées ces dernières années dans différents pays, visant à transposer des classes entières d'enseignement spécialisé pour enfants porteurs d'un handicap cognitif (y compris la trisomie 21) au sein d'établissements scolaires ordinaires. Une idée commune à ces tentatives est de favoriser précocement dans l'évolution scolaire des enfants en développement normal et ceux porteurs d'un handicap cognitif, de meilleurs et fréquents contacts gérés par les enseignants mais aussi intervenant librement dans le contexte de l'école et en dehors. Dans ce but, certaines activités scolaires (éducation physique, sport, travaux manuels, etc.) sont menées conjointement avec tous les enfants à âge chronologique ou mental équivalents ou proches. Il s'agit certainement d'un mouvement dans la bonne direction, celle d'une seule école pour tous, au moins aux niveaux maternel et primaire.

On devrait pouvoir aller plus loin, cependant. J'ai proposé (Rondal, 1990, 2002, 2003b), jusqu'ici sans succès, une série de modifications du système scolaire telle que nous le connaissons dans nos pays, dans le sens suivant. Faisons « sauter », au moins en partie, le « verrou » chronologique dans la répartition des élèves dans les classes du primaire et du secondaire, au profit d'une structure plus souple basée sur les niveaux de capacité dans les diverses matières prévues aux plans d'étude. La classe d'âge resterait la base mais les élèves pourraient participer aux enseignements des niveaux un peu supérieurs ou un peu inférieurs selon leurs rythmes propres d'apprentissage. Un tel système, manifestement plus difficile à faire fonctionner[48], serait favorable pour tout le monde (enfants en avance quant à certaines matières – les dits « surdoués » –, enfants en retard momentané ou durable dans certaines disciplines, et possibilité beaucoup plus aisée d'insérer un enfant porteur d'un handicap cognitif au niveau adéquat pour les matières quant auxquelles elle ou il peut suivre et y connaître le plaisir de la réussite, sans que cela n'exige un travail souvent titanesque de sa part et de la part des parents, éducateurs, et enseignants. Un tel système implique une évaluation individualisée longitudinale et une collaboration étroite entre maîtres (maîtresse), enseignants auxiliaires, et des psychologues et pédagogues spécialisés attachés aux établissements d'enseignement au prorata d'un certain nombre d'enfants. Enfin, les enfants porteurs d'un handicap mental continueraient à bénéficier d'une ou plusieurs classes « de base » au sein de l'école, de façon à recevoir une éducation et un enseignement correspondant à leurs niveaux dans les disciplines rémanentes, et un endroit où trouver « un havre de paix » à l'abri, pour ainsi dire, des rivalités et des comparaisons même implicites avec leurs pairs en développement normal.

Un troisième chantier, combien important également, concerne la valorisation de l'existence des personnes porteuses d'une trisomie 21 avançant en âge. L'espérance de vie dans le syndrome SDL est aujourd'hui de l'ordre de la soixantaine d'années, et des progrès sont encore attendables à moyen terme[49]. Plusieurs estimations (par exemple, Steffelaar & Evenhuis, 1989) font état d'une augmentation de 75 % du nombre de personnes porteuses d'une trisomie 21 au-delà de quarante ans d'âge et 200 % au-delà de cinquante ans d'âge, pendant les prochaines décennies.

Il est impératif, si on veut pouvoir offrir à ces personnes des conditions de vie décentes et un contexte adéquat pour y vieillir dignement, de préparer rapidement de nouvelles solutions. Le droit à un vieillissement décent, et aussi serein que possible, ne peut être refusé à quiconque ou bradé.

Le problème de l'âge adulte est compliqué dans le syndrome SDL par une tendance à un vieillissement organique et cognitif prématuré, ressemblant en gros au vieillissement normal, mais se manifestant plus tôt (cf. Van Buggenhout *et al.*, 2001 ; et plusieurs chapitres dans l'ouvrage collectif dirigé par Rondal *et al.*, 2004). On notera qu'il ne s'agit pas ici de la maladie d'Alzheimer mais de manifestations discrètes s'aggravant lentement qui peuvent déterminer un état organique et un fonctionnement perceptif, cognitif, et langagier, moins favorables au delà de cinquante ans d'âge environ. Au plan cognitif, on relève des difficultés attentionnelles et mémorielles. En matière de langage, ce sont les aspects périphériques qui sont touchés : des pertes auditives dans le champ des fréquences acoustiques de la parole (500 à 4 000 cycles/sec, principalement), une moindre fluence dans les productions (davantage de pauses, hésitations, et « faux-départs »), une tendance au raccourcissement des énoncés, et une difficulté accrue dans le traitement des énoncés longs, présentés rapidement ou hors contexte extralinguistique (par exemple, au téléphone). On peut observer également une réduction du stock lexical et des difficultés à « trouver ses mots » dans les conversations (Rondal & Comblain, 2002 ; Rondal, 2009a).

Des recherches additionnelles sont nécessaires de façon : (1) à mieux cerner les aspects biologiques et psychologiques qui donnent prise au vieillissement prématuré chez les personnes porteuses d'une trisomie 21 ; (2) spécifier le calendrier de cette évolution négative ; et (3) préciser l'étendue des différences interindividuelles à ce point de vue.

Compte tenu de l'augmentation annoncée du nombre de personnes âgées adultes porteuses d'une trisomie 21, il est important que les responsables prennent les mesures nécessaires pour adapter les contextes de vie de ces personnes à leurs difficultés additionnelles. En rapport avec le problème du vieillissement, il serait pertinent de mettre en place une intervention systématique de maintien des acquis. Les processus attentionnels, la mémoire, et le langage parlé et écrit peuvent très bien se ré-entraîner à ces âges de façon à maintenir les niveaux antérieurs (cf. Rondal, 2005b, 2009a). De même si les recherches endocrinologiques confirment l'existence de carences importantes avec l'âge chez les personnes porteuses d'une trisomie 21 et avançant en âge (Romano, 2004), on devrait pouvoir envisager des interventions pharmacologiques de façon à en réduire autant que possible les effets.

Un pourcentage d'adultes porteurs d'une trisomie 21 développe, au-delà de la quarantaine, une forme de la maladie d'Alzheimer. Il s'agit de la même atteinte dégénérative qui touche une proportion de personnes normales vieillissantes (au-delà de soixante/soixante-dix ans). La propension à cette pathologie cérébrale du vieillissement dans le cas du syndrome SDL s'explique, comme indiqué précédemment, en ordre principal par la présence d'au moins un gène situé dans la partie supérieure du bras long du chromosome 21), lequel tripliqué induit (en interaction avec d'autres gènes) une cascade de phénomènes pathologiques aboutissant à la neutralisation d'entières populations neuronales dans les cortex cérébraux associatifs et le système limbique (Selkoe, 2002 ; Prasher *et al.*, 2008). Dans certains cas, le processus dégénératif peut être relativement lent et couvrir jusqu'à une dizaine d'années (Wisniewski & Silverman, 1996). Pour d'autres personnes, sans qu'on sache pourquoi, l'évolution négative est plus rapide (cf. le cas documenté par Rondal *et al.*, 2003). Toutefois, les mêmes stades évolutifs paraissent se retrouver tant pour les personnes porteuses d'une trisomie 21 que pour les personnes non porteuses de la condition (Ruiz, 1998 ; Rondal *et al.*, 2003).

Aujourd'hui, il n'y a pas de cure pour la maladie d'Alzheimer, ni dans le syndrome de Down, ni en dehors de ce syndrome. Beaucoup de recherches neuropathologiques et neuropharmacologiques sont en cours dans le but de mettre au point un traitement, ou, au moins dans un premier temps, de stabiliser les symptômes cardinaux dès que la maladie apparaît. Certaines molécules testées paraissent avoir la propriété de ralentir l'évolution de la maladie, voire déterminer de modestes améliorations des performances cognitives, mais sans guérir véritablement[50]. Par ailleurs, les travaux contemporains sur les applications cliniques des cellules dites « souches » sont porteurs d'espoir d'amélioration sensible voire de guérison à terme pour les personnes atteintes de la maladie d'Alzheimer (et nombre d'autres pathologies organiques y compris neurologiques). Il s'agit de cellules-embryonnaires ou rendues artificiellement à l'état embryonnaire, pouvant ensuite se transformer en n'importe lequel des deux cents types de tissus du corps des mammifères y compris humains. Jusqu'il y a peu, seules des cellules-souches prélevées sur des embryons étaient considérées comme disposant de cette propriété. Le président américain Bush (Howard Walker) avait opposé son véto à deux reprises à des propositions de financement public de la recherche sur les cellules-souches provenant d'embryons humains[51]. À partir de 2006, toutefois, une série de découvertes, d'abord chez la souris ensuite au niveau humain, ont montré qu'il est possible de reprogrammer des cellules corporelles adultes (fibroblastes du tissu conjonctif, notamment) – donc sans passer par l'embryon – en cellules-souches (dites iPS cells – cellules-souches pluripotentes induites). On a pu ainsi recréer en laboratoire des neurones moteurs, transformer des cellules pancréatiques ne produisant pas d'insuline en d'autres en produisant en quantité fonctionnelle, du cartilage, de la peau, des cellules cardiaques (capables de synchroniser leur activité rythmiquement), des cellules de l'estomac, du foie, et du cerveau – notamment les neurotransmetteurs dopaminiques lesquels jouent un rôle important dans le fonctionnement des synapses (cf. les articles de synthèse de Wenner, 2008, Minkel, 2008, Hornyak, 2008, et Park, 2009). Les espoirs sont grands de pouvoir intervenir avec succès à moyen terme de manière à « reprogrammer » des cellules humaines pour les transformer en neurones, par exemple, et les réinjecter ensuite dans le cerveau des personnes atteintes, par exemple, de la maladie d'Alzheimer (ou d'autres maladies dégénératives), où ces cellules pourront reconstituer les structures nécessaire pour un fonctionnement normal ou au moins notablement amélioré par rapport à la maladie[52].

Chapitre 6
Perspectives de thérapie génétique

Le handicap cognitif génétique congénital renvoie à un accident génétique (mutation *de novo*, non-disjonction méiotique, etc.) avec effets négatifs marqués sur la neurogenèse. À la question de savoir si on peut curer un tel handicap, la réponse aujourd'hui est «non». On peut améliorer le pronostic par des interventions appropriées mais on ne peut guérir en l'état actuel des choses. À terme de quelques années à quelques décennies, il en ira autrement. La possibilité de mener à bien une thérapie génétique[53] chez des personnes porteuses d'un handicap cognitif n'est plus de l'ordre de la science-fiction. Les problèmes sont complexes, particulièrement pour les syndromes impliquant un nombre important de gènes mutés, surexprimés (par exemple, dans la trisomie 21), ou en nombre insuffisant (délétions géniques ou chromosomiques)[54]. Les choses sont prometteuses à moyen terme pour les syndromes dont l'étiologie primaire répond à une unique modification génique, comme c'est le cas, par exemple, pour le syndrome dit de l'X-fragile, causé par une mutation du gène FMR-1 ou du gène FMR-2, situés tous deux sur le chromosome X. Toute thérapie génétique radicale dans les syndromes développementaux, doit intervenir idéalement au stade embryonnaire dès lors que l'objectif est de modifier ou de remplacer le gène ou les gènes pathologiques dans un grand nombre de cellules du corps. Une orientation corrélative, dans le cas des aneuploïdies, est de chercher à prévenir les non-disjonctions chromosomiques au moment de la méiose (voir, par exemple, Jin *et al.*, 2009). On peut chercher à bloquer les effets négatifs de certaines mutations en exploitant les interactions entre gènes. Des expérimentations en cours avec des souris dont le génotype a été modifié expérimentalement, suggèrent, qu'il est possible d'annihiler ou de réduire notablement les effets délétères – cellulaires et comportementaux – de la mutation du gène FMR-1 (responsable étiologiquement du syndrome de l'X-fragile) en agissant sur un autre gène qui code un enzyme – kinase –

facilitateur de l'expression du FMR-1 (Hayashi *et al.*, 2007). D'autres stratégies, exploitables en aval du développement embryonnaire, ciblent certains microARNs ancrés au chromosome 21 et qui contrôlent l'expression de divers gènes (Kuhn *et al.*, 2009), ou l'ARN messager, lequel joue un rôle décisif dans la transcription des instructions géniques, ou encore recourent à des composés chimiques (administrés à travers une diète particulière, par exemple) capables de modifier l'activité des protéines impliquées dans l'émergence et/ou la régulation de certains circuits neuronaux (cf. Delabar, 2007, pour une analyse des recherches expérimentales animales, et Pritchard & Kola, 2007, pour des indications concernant plusieurs circuits neuronaux dépendants de gènes situés – au moins en partie – sur le chromosome 21 et sensibles à l'effet de certains agents biochimiques[55]). Le travail de Hayashi et de ses collaborateurs (2007) suggère qu'on puisse encore restaurer au moins partiellement le phénotype normal des souris expérimentales porteuses de l'X-fragile après l'apparition des premiers symptômes, soit quelques semaines après la naissance. Extrapolant à l'humain, la même possibilité se situerait aux alentours de neuf à douze mois. Cette perspective offre de grands espoirs en matière de cure ou au moins d'amélioration notable du phénotype du syndrome de l'X-fragile. Si on envisage un syndrome chromosomique comme la trisomie 21, une approche pertinente serait de se centrer sur les gènes individuels, un à la fois, en commençant par les plus délétères, et chercher des mécanismes (génétiques et/ou épigénétiques) inhibiteurs ou compensateurs. Comme indiqué, le chromosome 21 humain a été cartographié (Hattori *et al.*, 2000). Il compte entre 261 et 364[56] gènes qui codent des protéines impliquées dans quatre-vingt-sept processus biologiques. Ce chromosome est relativement pauvre en gènes (il s'y trouve des régions importantes – comptant jusqu'à sept mégabases – où figure un seul gène et d'autres régions d'une taille d'un mégabase sans le moindre gène). En comparant les phénotypes de personnes porteuses de trisomies 21 partielles, on a pu définir une région critique du chromosome (HSA 21), dont la triplication est responsable de la plupart des traits phénotypiques (somatiques, retards de développement, insuffisance cognitivo-langagière) de la condition (mais pas tous ; voir la réserve sur ce point au chapitre 4). Cette région, localisée sur le segment q du chromosome, contient 1,2 mégabase (Peterson *et al.*, 1994). Elle comprendrait une quinzaine de gènes[57]. Ce sont ces derniers qu'il importera de cibler en priorité dans les futures tentatives de thérapie génétique se rapportant au syndrome SDL[58]. Avec un succès même partiel dans une stratégie de ce type, il est vraisemblable qu'on puisse améliorer sensiblement certains aspects parmi les plus défavorables du phénotype de la trisomie 21.

De gros progrès ont été accomplis ces dernières années dans le domaine de la médecine reproductive assistée. Certaines de ces avancées permettront aux thérapies génétiques de dépasser le stade expérimental. C'est le cas de la technique de clonage qui peut être combinée avec la thérapie de remplacement cellulaire pour neutraliser les réactions de rejet par le système immunitaire du receveur. Une façon d'arriver à ce résultat pourrait être de combiner les techniques de clonage avec le travail sur les cellules-souches dont il a été question précédemment (Green, 2001).

Au niveau des interventions non curatives, toujours essentielles aujourd'hui et sans doute encore demain et plus tard car rien ne garantit que les «cures» futures soient complètes, ni qu'elles ne laissent des séquelles nécessitant habilitation ou réhabilitation, on dispose dans les domaines de la cognition et du langage d'un arsenal de techniques. Ces interventions bien menées sont de nature à améliorer notablement les trajectoires individuelles de développement. Les approches génotypique et phénotypique sont complémentaires. L'étiologie génétique pose des conditions limites au développement épigénétique (neurologique; celui-ci contrôlant l'organisation comportementale). «Épigénétique» veut dire modifiable, et modifié (dans les limites prévues par le génome), dès le début de l'existence, par des influences environnementales (milieu interne et environnement externe). Il importe de le rappeler car certaines interprétations dans la grande presse procèdent parfois d'informations erronées ou insuffisantes. Si les gènes jouent un rôle important dans le déterminisme des traits neurocomportementaux (et ce niveau bien compris mènera encore à de nouvelles «percées» biologiques), ces traits sont puissamment conditionnés par les facteurs d'environnement de telle manière que les solutions à de nombreux problèmes de vie se situent en dehors de la sphère génétique envisagée au sens strict.

En terminant, on pourrait se demander, premièrement, si encourageant idéologiquement le cheminement vers la mise en pratique de thérapies génétiques, on ne se met pas en «porte-à-faux» avec le troisième envoi du présent ouvrage, lequel affirme le droit d'être équitablement différent et concurremment la non-obligation morale d'être semblable ; et, secondement, si les thérapies génétiques ne recouvrent pas une forme subtile d'eugénisme positif. Aux deux questions, je réponds par la négative. Il ne peut s'agir de « normaliser tout le monde » y compris les personnes porteuses d'un syndrome SDL, au sens de les rendre impérativement conformes à une norme, mais plutôt de chercher à éliminer ou à réduire les manifestations pathologiques les plus défavorables qui hypothèquent leurs existences et diminuent leur qualité de vie. De même, il ne s'agit pas d'eugénisme, même positif, au sens où on ne cherche pas à préserver ou à améliorer l'espèce humaine en neutralisant une partie de la population qui serait jugée indésirable. Si on veut absolument disposer d'une étiquette verbale, on pourra utiliser plutôt le néologisme « eugénotypie », ou quelque chose du genre, renvoyant à une action amélioratrice, scientifiquement motivée et techniquement sûre, portant sur certains aspects défavorables des « génomes individuels ».

Chapitre 7
Conclusions

Au cours de cette excursion dans le domaine de la trisomie 21, nous avons rencontré de nombreux personnages importants du monde scientifique et clinique, depuis le début du XIXᵉ siècle, et principalement trois grands savants et pionniers auxquels il convenait de rendre un hommage particulier, à savoir Édouard Seguin, Langdon Down, et Jérôme Lejeune. Sur cette base, j'ai proposé qu'on en vienne, pour désigner la condition, à l'appellation « syndrome de Seguin-Down-Lejeune », en lieu et place du seul « syndrome de Down », ce qui ne soustrait rien aux mérites de Langdon Down mais permet de reconnaître dans l'appellation du syndrome, ceux d'Édouard Seguin et de Jérôme Lejeune.

En deux siècles, l'évolution des idées concernant les personnes porteuses de ce syndrome ont beaucoup évolué, plus dans le monde scientifique et professionnel que dans le grand public où l'image de l'enfant, de l'adolescent et de l'adulte porteurs d'un syndrome SDL est encore grevée de nombreux malentendus et erreurs factuelles. Le sort et la qualité de vie de ces personnes sont objectivement meilleurs aujourd'hui que jamais par le passé dans le monde occidental. Et, cependant, un grand nombre de choses importantes restent à faire. De nombreux changements administratifs, idéologiques, légaux, éducatifs, et pratiques de plusieurs sortes, restent à instaurer. Une société s'honore de l'attention et du soin qu'elle porte tout au long de l'existence à ses membres les moins favorisés par la nature, et de la dignité humaine et citoyenne qu'elle leur assure.

Notes

Préface

1. Sauf là où, perspective historique obligeant et de façon à éviter tout anachronisme, le contexte terminologique de l'époque est trop différent.

2. J'utiliserai principalement cette expression dans l'ouvrage sachant que d'autres préfèrent encore « handicap mental » ou « déficience mentale » (ou « *intellectual disability* », en langue anglaise, intraduisible en français). Le handicap en question, dans le syndrome SDL et d'autres conditions génétiques du « handicap mental », est essentiellement cognitif (les fonctions humaines supérieures qui ont à voir avec le traitement de l'information, sa perception, sa représentation symbolique et grammaticale, sa conservation et sa récupération en mémoire). Ce qu'on appelle conation (volonté et intentionnalité), motivation, le fonctionnement émotionnel et affectif ainsi que les structures de base de la personnalité sont identiques chez tous les humains y compris les personnes porteuses d'un syndrome génétique du handicap « mental ». Les différences avec les personnes dites normales (au sens purement statistique du terme, c'est-à-dire numériquement dominantes dans une population donnée) sont de nature cognitive. Certes, des problèmes physiques ou de santé graves existent parfois congénitalement chez les personnes porteuses d'un syndrome génétique du handicap cognitif, mais c'est également le cas en dehors de ces conditions, même si souvent avec des différences de fréquence lesquelles ne changent rien sur le fond. Par ailleurs, je préfère le terme « handicap » à celui de « retard ». Ce dernier procède d'un euphémisme. Parlant de « retard », on affecte de croire qu'il peut se rattraper. Ce serait seulement une question de temps. En réalité, même si certains décalages développementaux peuvent s'atténuer spontanément et d'autres être compensés par des interventions spécifiques, le gros du handicap cognitif n'est pas éliminable en l'état actuel des techniques d'intervention. Il est préférable de le reconnaître et de travailler à une amélioration des connaissances plutôt qu'en quelque sorte se bercer d'illusions terminologiques.

3. L'appellation *syndrome de Down* pour désigner la condition connue aujourd'hui étiologiquement comme *trisomie 21* a été proposée en 1961 par le bureau éditorial de la revue médicale anglaise « The Lancet » suivant une motion transmise par dix-neuf médecins et généticiens anglo-saxons (dont Norman

Langdon Down, le petit fils de John) de façon à remplacer l'expression « idiotie mongolienne » utilisée depuis la publication princeps de Langdon Down
en 1866. Le groupe en question avait suggéré plusieurs appellations possibles : Anomalie de Langdon Down, Syndrome de Down, Anomalie acromi-
criale (terme renvoyant à la morphologie chromosomique), Acromicrie
congénitale. L'appellation *Syndrome de Down* a été confirmée par l'Organisation Mondiale de la Santé en 1965, à la suggestion (devant l'Assemblée des
Nations Unies) de la République Populaire de Mongolie ; à une époque où
pourtant on ne pouvait prétendre ignorer le travail séminal de Lejeune et collaborateurs sur l'étiologie génétique du syndrome.

4. J'utilise ce terme comme un néologisme dénotatif renvoyant à la sphère neuro-
comportementale (et non à la jurisprudence où il est utilisé habituellement).
L'habilitation (ou réhabilitation), au sens où je l'entends, est la démarche
d'intervention spécialisée permettant de doter la personne porteuse d'un handicap des capacités nécessaires pour un fonctionnement cognitif, langagier,
mais aussi physique, et plus généralement psychosocial, aussi normal que
possible.

Chapitre 1 : Les grands pionniers

5. Et même bien antérieurement, comme on verra plus loin.

6. Les chromosomes sont numérotés par ordre de grandeur décroissante. Le 21
est l'avant-dernière paire d'autosomes (les chromosomes non sexuels) et
donc, en principe, la deuxième plus petite paire de chromosomes après le 22.
Le nombre de chromosomes humains est de 46, pour un total d'environ
23 000 gènes.

7. Esquirol (1938) amalgame crétinisme et idiotie (ce qui lui vaut les foudres de
Seguin, 1846, lequel fait valoir que si les effets pathologiques peuvent être
identiques les causes sont différentes ; Seguin cite les travaux de Foderé mon-
trant que la cause première du crétinisme est une grave carence iodique ; la
pathologie est d'origine « climatérique » selon l'expression de l'époque).

8. Pour un compte rendu général des cas « d'enfants sauvages » et la description
de cas plus récents, on pourra voir Malson, 1964, et Héral, 2003.

9. Il s'agit d'une conception empiriste (s'opposant au rationalisme innéiste de
Descartes, notamment) considérant que toute connaissance vient des sens
(donc de l'environnement). Locke distinguait la connaissance intuitive, conséquence d'un fonctionnement sensoriel normal, et la connaissance démonstrative produite à partir de la première sur base d'un travail de réflexion,
générateur des idées, substance de la connaissance. Condillac a uniquement
retenu la première forme de connaissance, rejetant explicitement la seconde
dans son *Traité des sensations* ; ramenant la connaissance au pur produit de
l'exercice sensoriel. Il n'est pas clair si Itard et ses successeurs ont participé
de ce réductionnisme mais certaines conceptions de Seguin, et certainement
les pratiques de Montessori et d'autres au XIXe siècle et ensuite, paraissent très

« condillaciennes », bien que Seguin (1846) ait critiqué Itard sur ce point indiquant, notamment, que « ... les idées sont autre chose que les sens... » (p. 9) rejoignant donc la notion de connaissance « démonstrative » de Locke.

10. Une hypothèse alternative (envisagée par Itard pensant que si Victor avait été recueilli plus jeune, il aurait été possible de le rééduquer davantage) ou complémentaire est que l'enfant au début de sa rééducation avait déjà dépassé la limite supérieure de la période critique pour l'apprentissage des aspects formels du langage oral. Toutefois, les (rares) cas peu ou prou comparables enregistrés depuis l'époque d'Itard jusqu'à nos jours – surtout les cas plus récents, étudiés plus systématiquement, comme celui de Genie, cet enfant californien retrouvé à onze ans dans un placard, à peine nourrie par ses parents depuis la naissance (cf. Curtis, 1977) – montrent que si l'acquisition normale du langage, surtout dans ses aspects phonologiques et morphosyntaxiques, n'est plus possible normalement en cas de non-exposition à un input langagier pendant les 11/12 premières années, un développement cognitif (non langagier) notoire est encore possible (cf. Rondal & Edwards, 1997, pour une discussion) ; ce qui n'a pas été observé chez Victor.

11. Seguin, qui a été également le collaborateur d'Esquirol à l'Hôpital parisien de la Salpêtrière, affirme dans son ouvrage de 1846 qu'Itard a été « son maître ».

12. *Psychology as the behaviorist views it.*

13. Enseignement secondaire après le cours moyen supérieur – 5e année de l'élémentaire.

14. Sans parler, certes, d'aspects phénotypiques connus aujourd'hui mais qui ne l'étaient pas en 1846, comme les réductions de volume et les altérations de la topologie cérébrale et cérébelleuse (cf. Dierssen *et al.*, 2009 ; Florez, 2009 ; voir plus loin l'opus de Seguin de 1866, cependant), les fréquentes complications cardiaques pendant les premières années et ensuite si non traitées, une incidence plus élevée des leucémies de l'enfant mais, par contre, une susceptibilité nettement inférieure pour les tumeurs solides (Rasore-Quartino, 2006).

15. La plupart des auteurs rangent le langage parmi les fonctions cognitives. Cela est incorrect à strictement parler et c'est pourquoi je distingue explicitement les deux domaines. La raison est que la fonction langagière est tout sauf homogène. Certaines composantes sont liées au fonctionnement cognitif, c'est le cas pour la composante sémantique qui constitue l'interface avec la cognition conceptuelle, et pour la pragmatique du langage, un chapitre de la psychologie sociale. D'autres composantes du langage sont largement indépendantes du fonctionnement cognitif (sauf à considérer que la cognition sous-tend d'une certaine manière tout le fonctionnement psychologique, ce qui la rendrait triviale). C'est le cas pour la phonologie et la morphosyntaxe. Le lecteur intéressé pourra voir sur ce point Chomsky (1984) et mes textes (Rondal, 2005a, 2009a).

16. On verra le chapitre 4 pour une information détaillée sur la génétique du syndrome.

17. Le terme *furfuracé* me paraît venir de l'italien *forforaceo* ou *furfuraceo* désignant les squames ; une probable référence aux problèmes cutanés et capillaires répandus chez les personnes porteuses d'une trisomie 21 (particulièrement de sexe masculin).

18. Le « de même » renvoie à une indication immédiatement précédente de Seguin remarquant que selon les cas individuels et leur degré de gravité, on peut parler d'idiotie ou d'imbécillité.

Chapitre 2 : Les observations de Langdon Down

19. Le bâtiment rebaptisé « *The Langdon Down Centre Trust* » existe toujours. Il abrite les archives de Langdon Down et sa bibliothèque. On y trouve aussi un petit théâtre Victorien (*The Music hall*) construit par le médecin anglais et son épouse.

20. Diverses suggestions du même type, c'est-à-dire néoténiques (néoténie : persistance pathologique chez un individu adulte de caractéristiques juvéniles) ont été avancées par Shuttleworth (1909), par exemple, selon lesquelles la condition est l'effet global d'une évolution prénatale incomplète (encore Koenig, en 1959).

21. Les termes Kalmouk, Kalmuck, ou encore Kalmyk (du russe Tatar) désignent la frange du peuple Mongol originellement bouddhiste tibétain émigrée d'Asie centrale au XVIIᵉ siècle et vivant à proximité de la mer Caspienne. Je n'ai pas trouvé d'explication à cette curieuse désignation (inexistante, à ma connaissance, chez Langdon Down).

22. Plusieurs associations de parents constituées dans les années soixante, soixante-dix intégraient dans leur raison sociale le terme *mongolisme* ou *mongolien* (par exemple, *l'Association de Parents d'Enfants Mongoliens, APEM*, en Belgique francophone) qui aujourd'hui ont modifié leurs appellations. Mon collègue et ami Jean-Luc Lambert et moi-même sommes « coupables » de la même « faute » terminologique dans notre ouvrage *Le Mongolisme*, publié en 1979, chez l'éditeur belge Mardaga ; premier texte non médical sur le sujet en langue française. La « raison », comme pour les Associations, était qu'il s'agissait d'identifier clairement la condition pour le public francophone, lequel n'aurait pas compris, à l'époque, le référent d'expressions comme « syndrome de Down » ou « trisomie 21 ». Nos humbles excuses aux intéressés.

23. On mettra au crédit de Lionel Penrose une violente condamnation de l'ouvrage de Crookshank, rejetant sur la base de ses propres observations dans le *Colchester Survey*, toute conclusion selon laquelle les individus porteurs de la condition seraient d'une quelconque manière intrinsèquement plus « mongoliens » que d'autres personnes y compris normales. Penrose fut un des premiers à suggérer la terminologie « *Down's syndrome* » (Penrose, 1932 ; Kevles, 1999).

Chapitre 3 : La mesure du handicap cognitif

24. Le nombre d'enfants en échec scolaire s'était multiplié en France depuis l'application de l'obligation scolaire à la suite des lois Ferry à la fin du XIXᵉ siècle, et l'organisation d'une scolarisation de masse disposée par groupe d'âge homogènes et utilisant des progressions didactiques ordonnées.

25. On verra plus loin que ce genre de distinction est discutable.

26. L'association en question s'est appelée précédemment *American Association on Mental Deficiency*. Elle a de nouveau changé de nom récemment au profit d'*American Association on Intellectual Disabilities*. Dans la foulée, les deux principales revues américaines dans le domaine se sont rebaptisées *American Journal of Intellectual and Developmental Disabilities* (au lieu d'*American Journal of Mental Retardation)* et *Intellectual Disabilities* (au lieu de *Mental Retardation*). La raison de ces changements terminologiques est toujours la même depuis le XIXᵉ siècle, à savoir la connotation négative, objective ou vécue comme telle, des labels par les individus concernés et leurs familles. Bien qu'elle soit aisée à comprendre et sans doute justifiée, je crains qu'un excès de sensibilité sur ce point ne donne lieu à une quête de renouvellement terminologique accélérée et peut-être sans fin.

27. On considère aujourd'hui que le QI est distribué selon une courbe normale dans le syndrome SDL, avec une moyenne de 45 points et un intervalle de variation de 20 à 70 points.

28. Et même, semble-t-il, le syndrome de Prader-Willi, ainsi qu'on l'appelle aujourd'hui, identifié partiellement par Langdon Down (Ward, 1997).

29. Il n'a même pas été établi ce que pourrait être une différence « véritablement qualitative » par opposition à une variation quantitative.

30. Par opposition à la génétique moléculaire dont l'essor au XXᵉ siècle est plus tardif. La génétique des populations s'intéresse à l'héritabilité des traits organiques et des caractéristiques physiques et neuropsychologiques de groupes d'individus au sein d'une population.

31. Même si on peut critiquer la position générale de Zigler, une partie de ses données et son centrage méthodologique trop étroit (Rondal, 1980), il reste qu'une faiblesse motivationnelle acquise est certainement une variable importante voire décisive dans le problème considéré.

Chapitre 4 : La trisomie 21

32. En génétique, on désigne sous le nom d'haploïdes les cellules qui, comme les gamètes des mammifères, ne contiennent que la moitié du nombre complet de chromosomes (soit 1n) existant dans les autres cellules du corps. L'appellation haplo-quatre signifie que les mouches en question ne disposent que d'un seul chromosome au sein de la paire numéro 4, ce qui a pour conséquence un développement anormal, ralenti, une croissance réduite, et la présence d'un duvet pileux anormalement fin.

33. L'inverse de la trisomie, la monosomie, ne joue aucun rôle en pathogénétique humaine, étant pratiquement toujours létale. Selon Wunderlich (1977), seuls deux cas de naissances vivantes du type ont été observés.

34. Un article publié par Marthe Gautier (2009 ; Gautier & Harper, 2009) revient, cinquante ans plus tard, sur la découverte. Gautier suggère que son rôle dans le processus ayant mené à cette découverte a été sous-estimé. Elle a été celle qui a ramené en France, à la suite d'un stage à l'Université Harvard, aux États-Unis, la technique adéquate de préparation des caryotypes. Gautier affirme qu'elle a établi pour la première fois la présence de 47 chromosomes au sein du caryotype de plusieurs enfants « mongoliens ». Lejeune se serait servi des diapositives réalisées par Gautier pour faire valoir la découverte. Elle produit, dans son article, la photocopie d'une lettre lui envoyée par Jérôme Lejeune pendant un séjour à Pasadena, en Californie, en novembre 1958, confirmant qu'il s'agissait bien des préparations de Marthe Gautier. L'histoire et la paternité (maternité) d'une découverte scientifique n'est jamais chose simple. Sans diminuer les mérites de Lejeune et de Turpin, il est possible que ceux de Marthe Gautier aient été sous-estimés dans le rendu public des événements qui ont mené à l'étiologie chromosomique du mongolisme.

35. On pourra voir Le Méné (1997) et Bernet (2004) pour des indications biographiques.

36. La méiose dite réductionnelle est la double division de la cellule aboutissant à une réduction de moitié du nombre de chromosomes dans la gamétogenèse. L'origine de la non-disjonction est à 70 % chez la mère et à 5 % chez le père durant la première division méiotique, à 20 % chez la mère et 5 % chez le père durant la seconde division méiotique.

37. Le phénomène de translocation chromosomique est complexe. Il peut intervenir *de novo* chez un parent durant la gamétogenèse, ou exister dans le génome d'un des parents avant la gamétogenèse. Ce parent ne présente pas le phénotype de la trisomie 21 (on parle de translocation équilibrée) mais il peut transmettre à sa descendance le génotype qui dès lors est pathogénique. Les translocations équilibrées se produisent entre le chromosome 21 et les chromosomes 13, 14, 15, ou 22, ou entre le chromosome 21 et lui-même. Cette dernière translocation est dite robertsonienne. La probabilité d'avoir un enfant porteur d'une trisomie 21 pour un parent porteur d'une translocation équilibrée non robertsonienne varie entre 5 % chez les pères et 15 % chez les mères. Dans les cas de translocation robertsonnienne, la probablité atteint 100 % qu'il s'agisse du père ou de la mère. D'autres translocations sont possibles, correspondant à des « points naturels de rupture » dans le ruban chromosomique, comme celles qui concernent les chromosomes 6/21, 4/21, 3/21, 1/21, 8/21, 10/21, et 11/21 (Hattori *et al.*, 2000).

38. Les chiffres fournis par Matos Biselli et ses collaborateurs (2009) sur 387 cas de syndrome de Down au Brésil, font état de 6, 2 % de cas de translocation et 6,1 % de cas de mosaïcisme.

39. Ce gène code l'agencement d'une molécule dite préamyloide-bêta, laquelle tripliquée induit la production dans certaines régions du cerveau – principalement, le système limbique et les cortex associatifs, ce qui renvoie à une interaction entre des facteurs locaux et les processus pathogènes – de concentrations anormales de peptides amyloides-bêta1-42 (déterminant la prolifération de plaques amyloides dans les espaces extracellulaires laquelle provoquent une neurofibrillation intraneuronale où est impliquée une protéine particulière, dite *tau*). Il existe vraisemblablement, en outre, chez les personnes porteuses du syndrome SDL (mais aussi chez les personnes non porteuses) qui développent la maladie d'Alzheimer, une version particulière du gène APOE (Apolipoprotéine – epsilon 4 ; sur le chromosome 19) dont la présence accroît le risque d'occurrence de la maladie en favorisant également une augmentation de la concentration cérébrale en molécules amyloide-bêta par inhibition de son élimination naturelle et/ou augmentation de son potentiel fibrillogène au sein des neurones. Un autre gène encore, dit « préséniline » au niveau du chromosome 10, pourrait être impliqué dans l'étiologie de la pathologie d'Alzheimer, en réduisant la densité cérébrale et le potentiel des protéases capables de dégrader la peptide amyloide-bêta (Selkoe, 2002 ; Prasher *et al.*, 2008). Brody *et al.* (2008) montrent, chez des patients avec lésion cérébrale (mais pas d'atteinte de type Alzheimer – ce qui suggère que la peptide amyloide-bêta 1-42 est un constituant normal du fluide cérébral extracellulaire), que la dynamique de la peptide en question est régulée par l'activité neuronale elle-même ; une diminution de cette activité provoquant une réduction de la concentration de la peptide amyloide-bêta 1-42 dans le fluide cérébral interstitiel et inversement pour une dynamique neuronale plus élevée. Ce travail suggère, à condition que les contextes pathologiques soient suffisamment comparables, que dans la pathologie d'Alzheimer le *primum movens* étiologique pourrait se trouver ailleurs que dans les plaques amyloides, en rapport avec une dynamique neuronale pathologiquement augmentée provoquant une cascade d'effets aboutissant in fine à la neurofibrillation intraneuronale. Busche et ses collaborateurs (2008), avec des souris doublement transgéniques (surexpression de la préprotéine amyloide-bêta et du gène préséniline), observent une suractivation des zones neuronales qui circonscrivent les plaques amyloides couplée avec une sous-activation marquée du reste des territoires corticaux ; ce qui paraît confirmer la corrélation activation neuronale et croissance des dépots amyloide-bêta au sein du cerveau. Selkoe (2002) confirme que le métabolisme de la molécule amyloide-bêta 1-42 est un processus biologique normal et varie en degré dans toutes les cellules nerveuses et autres du corps. Certains avatars géniques (dans le syndrome de Down, comme dans la maladie d'Alzheimer transmise familialement chez des personnes non porteuses d'une trisomie 21) augmentent jusqu'à 40 %, la production de cette molécule hautement agrégative au détriment de la peptide amyloide-bêta 1-40, laquelle est nettement moins hydrophobe.

Chapitre 5 : Les dernières décennies du XXe siècle et le début du XXIe siècle

40. Par le fait qu'utilisant des échantillons de sujets étiologiquement mélangés, qu'il s'agisse de recherches expérimentales ou d'observations, on accroît la variance résiduelle, sans compter que les inférences concernant des populations mixtes s'en trouvent d'autant plus imprécises et les données moins facilement reduplicables.

41. Voir également Fidler *et al.*, 2009, pour des suggestions congruentes.

42. Bien qu'insuffisamment analysée sur une grande échelle statistique. À simple titre d'exemple de l'extension du champ des différences interindividuelles en matière de développement et de fonctionnement langagier, on peut se reporter aux cas publiés dans la littérature spécialisée des dernières décennies (Rondal, 1995b, pour une revue ; et Rondal, 2003a, pour une hypothèse explicative).

43. Les associations non spécifiques (générales) existent depuis beaucoup plus longtemps – le dernier quart du XIXe siècle aux États-Unis, par exemple – et continuent d'exister de plus en plus en coordination avec les associations spécifiques.

44. Outre le fait estimé qu'environ 6 % d'enfants normaux sont éliminés au cours du même processus de dépistage/avortement en raison d'erreurs de diagnostic (Morris *et al.*, 1999) et dans une plus faible mesure (mais loin d'être insignifiante) des effets délétères de la procédure de prélèvement des villosités chorioniques (2 % d'interruption accidentelle de grossesse) et de l'amniocentèse (1 % d'interruption accidentelle de grossesse), nécessaires pour confirmer un diagnostic de trisomie 21 chez le fœtus (Mujezinovic & Alfirevic, 2007).

45. Il sera extrêmement utile, le plutôt posé étant le mieux, une fois les procédures de dépistage sécurisées à 100 % (le développement de nouvelles techniques par échantillonnage de l'ADN fœtal à partir du sang maternel, donc sans lésion possible de l'organisme et danger pour la poursuite de la grossesse, permet cet espoir ; cf. Wald *et al.*, 2003) et en évitant les « fausses positives », dès qu'on disposera de moyens d'intervenir au niveau génétique de façon corriger une partie (ou plus) des limitations propres à la trisomie 21 (voir le chapitre suivant).

46. Que je n'entends nullement remettre en question même implicitement.

47. En se basant, notamment, sur un document rendu public conjointement par les associations belges : AFrAHM et AP3, Bruxelles, APEM-T21, Heusy (Verviers, Liège), et APEPA, Namur (17-02-2009 ; éditeur responsable : T. Kempeneers).

48. D'où les résistances larvées, évidemment prévisibles, du monde surtout administratif et directorial, et de l'inspectorat de l'enseignement.

49. Les statistiques de vie dans la condition sont toujours grevées, d'une part, par un taux de mortalité encore élevée durant la première année (dû à une conjonction de pathologies – notamment gastro-intestinales et cardio-vasculaires) et à

une incidence de la maladie d'Alzheimer au-delà d'environ quarante ans, supérieure à celle dans la population «normale» (voir plus loin).

50. Plusieurs de ces molécules ont été récemment autorisées par l'administration américaine – par exemple, la mémantine (et donc ont passé avec succès un programme sévère de tests expérimentaux; Miller, 2009).

51. Cellules obtenues à partir d'embryons «non utilisés dans les clinique de reproduction assistée» (terrible expression). D'autres pays, notamment la Chine, Singapour, le Royaume-Uni et le Japon, n'ont pas emboîté le pas aux législateurs américains, permettant aux recherches de continuer. Le nouveau président américain Obama, en date du 9 mars 2009, a levé l'interdiction fédérale de financement de la recherche sur les cellules-souches embryonnaires en surnombre dans les cliniques de fertilité et qui autrement seraient éliminées (Holden, C. *Time*, 23 mars 2009, p. 10; Science, 2009).

52. De nombreux défis scientifiques et techniques subsistent; notamment, et non des moindres, celui de savoir si les cellules iPS sont bien équivalentes à celles embryonnaires (d'où l'intérêt de l'utilisation possible des cellules-souches embryonnaires à fin de comparaison), celui de leur sécurité biologique, celui des opérateurs biologiques utilisables de façon à reprogrammer une cellule adulte en cellule-souche pluripotente, et celui des vecteurs pour réintroduire les cellules transformées au bon endroit au sein de l'organisme. La question d'un d'éventuel rejet immunologique est en principe réglée dans la mesure où donneurs et récepteurs sont les mêmes personnes. Les premiers travaux (menés par Shinya Yamanaka, à l'Université de Tokyo, en 2006), avec des souris, et puis des sujets humains ont exploité quatre gènes – de transcription, c'est-à-dire contrôlant l'activité d'un nombre important d'autres gènes – de façon à reprogrammer des fibroblastes conjonctifs en cellules iPS, soit les gènes Oct3/4, Sox2, c-Myc, et Klf4. Certains de ces gènes sont potentiellement cancérigènes – le gène c-Myc l'est assurément. Des travaux ultérieurs (Douglas Melton et Konrad Hochedlinger, à l'Université Harvard, États-Unis, et Yamanaka, de nouveau) ont établi ensuite qu'il est possible de remplacer deux des gènes opérateurs, oncologiquement douteux, par des molécules particulières (de petite taille) ne présentant pas ce risque. On espère pouvoir se dispenser complètement des opérateurs géniques pour une reprogrammation entièrement sécurisée. Concernant les vecteurs, les premiers travaux ont utilisé des rétrovirus modifiés (organismes dont le patrimoine génétique est constitué seulement d'ARN) de façon à transporter les cellules pluripotentes dans l'organisme. En effet, si on enlève le matériau génétique du virus lui-même et lui substitue les gènes thérapeutiques, les virus les transportent au sein de l'organisme car c'est la façon dont ils ont évolué naturellement. Une telle opération n'est pas sans danger pour l'organisme récepteur. La stratégie en cours cherche à remplacer les rétrovirus par des adénovirus (dont le patrimoine génétique est composé d'une molécule d'ADN), plus sûrs que les rétrovirus (potentiels agents cancérigènes par induction de mutations au sein des génomes visités), et, mieux encore, par des plasmides ou morceaux

circulaires d'ADN de micro-organismes. Sont actuellement à l'expérimentation à cet effet des molécules lipidiques et diverses protéines.

Chapitre 6 : Les thérapies génétiques en perspective

53. L'expression « thérapie génétique » est générique. Elle couvre à la fois les thérapies (géniques) qui portent sur un gène à la fois (le principe étant d'introduire un gène sain dans l'organisme de façon à remplacer un gène déficient ou manquant, chargeant un virus (virus « adeno-associé » pour les thérapies « intracorporelles », soit avec injection du produit dans l'organisme à traiter ou rétrovirus pour les thérapies « extracorporelles », où on prélève un échantillon sanguin ou de moelle épinière dans lequel on sélectionne les cellules immatures, y injecte le gène substitutif, et réinjecte le tout avec le rétrovirus au sein de l'organisme à traiter) d'apporter la charge génétique correctrice *in situ*, et celles, encore en projet ou en expérimentation, se rapportant à l'exploitation thérapeutique de divers mécanismes et dispositifs génétiques (ARN, facteurs de transcription d'indications génomiques, etc.).

54. Une variation dans le nombre de gènes – outre l'induction de sa propre pathologie et le déséquilibre génomique impliqué - peut également avoir pour conséquence une dérégulation de certains gènes voisins ou fonctionnellement en rapport, ou encore une modification de leur expressivité, étant donné la nature systémique du génome (Sutcliffe, 2008).

55. Voir également la synthèse de Gardiner (2009) quant aux travaux en cours utilisant un modèle neurobiologique et comportemental animal – les souris Ts65Dn, Dp(16)1Yu, et Ts1Cje, principalement, trisomiques (induites) au niveau de certains segments du chromosome 16 contenant une centaine de gènes correspondant à ceux situés sur le chromosome humain 21 (Seregaza *et al.*, 2006).

56. Gardiner (2009) donne entre 500 et 540 gènes dont 300 sont relatifs à des fonctions spécifiquement humaines.

57. Dont les gènes RCAN1, ITSN1,SYNJ1, DYRK1A, TIAM1, PCP4, BACH1, SOD1, S100B, SIM2, et DSCAM, particulièrement impliqués dans les processus cognitifs (Gardiner, 2009).

58. Cette perspective est dépendante d'une spécification du rôle exact des gènes impliqués dans la zone critique du chromosome 21 (notamment), qui sont sensibles au dosage génique (ce qui accroît leur expressivité de 50 %) et de leurs interactions avec d'autres gènes sur et en dehors du chromosome 21. Le travail s'inscrit dans le courant de la définition fonctionnelle des composants du génotype dans les maladies et troubles développementaux au niveau humain (Benfey & Mitchell-Olds, 2008).

Bibliographie

Agthe Diserens, C. (2003). Importance de l'éducation spécialisée à la vie affective, intime et sexuelle dans le cadre de la prise en charge des enfants porteurs d'une trisomie 21. *Journal de la Trisomie 21*, 8, 14-18.

American Association on Mental Retardation (1992). *Mental retardation : définition, classification, and systems of supports* (9ᵉ édition). Washington DC : AAMR.

American Psychiatric Association (1994). *Diagnostic and statistical manual* (4ᵉ édition). Washington DC : APA.

Angelman, H. (1965). « Puppet » children : A report on three cases. *Developmental Medicine and Child Neurology*, 7, 681-688.

Benda, C. (1960). *The child with mongolism (congenital acromicria)*. New York : Grune and Stratton.

Benfey, P., & Mitchell-Olds, T. (2008). From genotype to phenotype : Systems biology meets natural variation. *Science*, 320, 495-497.

Bernard, C. (1862, 1969). *Introduction à la médecine expérimentale*. Paris : Payot.

Bernard, J. (1989). La vie et l'œuvre de Raymond Turpin. *La Vie des Sciences*, 6, 612-618.

Bernet, A. (2004). *Jérôme Lejeune*. Paris : Presses de la Renaissance.

Binet, A., & Simon, T. (1905). Méthodes nouvelles pour le diagnostic du niveau intellectuel des anormaux. *L'Année Psychologique*, 11, 191-244.

Binet, A., & Simon, T. (1908). Le développement de l'intelligence chez les enfants. *L'Année Psychologique*, 14, 1-94.

Binet, A., & Simon, T. (1911). Nouvelles recherches sur la mesure du niveau intellectuel chez les enfants d'école. *L'Année Psychologique*, 17, 145-201.

Bishop, P., Polani, P., & Lessof, H. (1956). Klinefelter's sindrome. *Lancet*, 2, 843.

Bleyer, A. (1934). Indications that mongoloid imbecility is a gametic mutation of the degenerative type. *American Journal of Disability in Children*, 47, 342.

Bourneville, D. (1903). De l'idiotie mongolienne. *Archives de Neurologie*, 16, 252-257.

Brody, D., Magnoni, S., Schwetye, K., Spinner, M., Esparza, T., Stochetti, N., Zipfel, G., & Holtzman, D. (2008). Amyloid-bêta dynamics correlate with neurological status in the injured brain. *Science*, 321, 1221-1224.

Bronfenbrenner, U. (1978). The experimental ecology of human development. Cambridge, Massachusetts : University press.

Busche, M., Eichhoff, G., Adelsberger, H., Abramovsky, D., Wiederhold, K., Haass, C., Staufenbiel, M., Konnerth, A., & Garaschuk, O. (2008). Clusters of hyperactive neurons near amyloid plaques in a mouse model of Alzheimer's disease. *Science*, 321, 1686-1688.

Cale, W., & Myers, N. (1978). Neurofibromatosis in childhood. *Australian and New Zealand Journal of Surgery*, 48, 306-365.

Cicchetti, D., & Beeghly, M. (1990). *Children with Down's syndrome : A developmental perspective*. New York : Cambridge University Press.

Chomsky, N. (1984). *Modular approaches to the study of mind*. San Diego, Californie : San Diego State University Press.

Christian, S., Robinson, W., Huang, B., Mutirangrera, A., Liuc, M., Nakao, M., Sturti, U., Chakravati, A., & Ledbetter, D. (1995). Molecular character-ization of two proximal deletion breakpoint regions in both Prader-Willi and Angelman syndrome patients. *American Journal of Human Genetics*, 57, 40-48.

Condillac (Bonnot de), E. (1746, 1754, 1798). *Œuvres complètes*. Paris : Théry.

Coppus, A., Evenhuis, H., Verberne, G., Visser, F., Van Gool, P., Eikelenboom, P., & Van Duijn, C. (2006). Dementia and mortality in persons with Down syndrome. *Journal of Intellectual Disability Research*, 50, 768-777.

Crookshank, F. (1931). *The Mongol in our midst : A study of man and his three faces*. Londres : Dutton.

Curtiss, S. (1977). *Genie : A psycholinguistic study of a modern-day « wild child »*. New York : Academic.

Darwin, C. (1859). *On the origin of species by means of natural selection, or the preservation of favoured races in the struggle for life*. Londres : Murray.

Delabar, J.M. (2007). Perspectives on gene-based therapies. In J.A. Rondal & A. Rasore-Quartino (Eds.), *Therapies and rehabilitation in Down syndrome* (pp. 1-17). Chichester, Royaume Uni, Wiley.

Denning, C., Chamberlain, J., & Polloway, E. (2000). An evaluation of state guidelines for mental retardation : Focus on definition and classification practices. *Education and Training in Mental Retardation*, 35, 226-232.

Doll, E. (1953). *Measurement of social competence : A Manual for the Vineland Social Maturity Scale.* Circle Pines, Minnesota : American Guidance Scale.

Down, J.L. (1866). Observations on an ethnic classification of idiots. *London Hospital Reports*, 3, 259-262.

Down, J.L. (1887). *On some of the mental affections of childhood and youth.* Londres : Churchill.

Dunn, L. (1973). *Exceptional children in schools.* New York : Holt.

Dykens, E., Hodapp, R., Finucane, B. (2000). *Genetics and mental retardation syndromes : A new look at behavior and interventions.* Baltimore, Maryland : Brookes.

Ellis, N. (1969). A behavioral research strategy in mental retardation/defense and critique. *American Journal of Mental Deficiency*, 73, 557-566.

Engler, M. (1949). *Mongolism.* Londres : Wright, 1949.

Epstein, C. (Ed.) (1986). *The neurobiology of Down syndrome.* New York : Raven.

Esquirol, J.-E. (1805). *Les passions considérées comme cause, symptôme, et moyen de la maladie mentale.* Paris : Baillière.

Esquirol, J.-E. (1838). *Des maladies mentales considérées sous les rapports médical, hygiénique et médico-légal.* Paris : Baillière.

Fechner, G. (1860). *Elemente der psychophysik.* Iena, Allemagne : Behz.

Fidler, D., Most, D., & Philovsky, A. (2009). The Down syndrome behavioural phenotype. : Taking a developmental approach. *Down Syndrome,* 12, 188-195.

Florez, J. (2007). Diagnostico prenatal del sindrome de Down y aborto voluntario. *Revista Sindrome de Down*, 24, 71-76.

Florez, J. (2009). En el 50° aniverrsario del descubrimiento de la trisomic 21. *Revista Sindrome de Down*, 26, 104-119.

Ford, C., Polani, P., Briggs, J., & Bishop, P. (1959). A presumptive human XXY/XX mosaic. *Nature*, 183, 1030-1032.

Fraser, F., & Mitchell, A. (1876). Kalmuc idiocy : Report of a case with autopsy with notes on sixty-two cases. *Journal of Mental Science*, 22, 169-179.

Gardiner, K. (2009). Memory and learning – using mouse to model neurobiological and behavioural aspects of Down syndrome and assess pharmacotherapeutics. *Down Syndrome*, 12, 211-216.

Gautier, M. (2009). Cinquantenaire de la trisomie 21 : retour sur une découverte. *Médecine Sciences*, 25, 311-316.

Gautier, M., & Harper, P. (2009). Fiftieth anniversary of trisomy 21 : Returning to a discovery. *Human Genetics*, publié en ligne le 30 juin (réf; DOI 10.1007/s00439-009-0690-1).

Goldgaber, D., Lerman, M., Mcbride, W., Saffiotti, U., & Gajdusek, D. (1987). Isolation, characterization, and chromosomal localization of human brain cDNA clones coding for the precursor of the amyloid of brain in Alzheimer's disease, Down's syndrome and aging. *Journal of Neural Transmission*, 24, 23-28.

Green, R. (2001). *The human embryo research debates. Bioethics in the vortex of controversy*. New York : Oxford University Press.

Grossman, H. (Ed.). (1983). *Classification in mental retardation*. Washington DC : American Association on Mental Deficiency.

Guralnick, M. (2005). Early intervention for children with intellectual disabilities : Current knowledge and future prospects. *Journal of Applied Research in Intellectual Disabilities*, 18, 313-324.

Gustavson, K. (1964). *Down's syndrome : A clinical and cytogenetical investigation*. Uppsala, Suède : Almqvist & Wiksell.

Haldane, J.B.S. (1933). *Science and human life*. Londres : Harper and Brothers.

Haldane, J.B.S. (1934). *Human biology and genetics*. Londres : The Science Guild.

Haldane, J.B.S. (1941). *New paths in genetics*. Londres : Allen and Unwin.

Haelewyck, M.C., & Ruelle, O. (2001). Qualité de vie et affectivité. *Journal de la Trisomie 21*, 1, 20-27.

Holden, C. (2009). A first step in relaxing restrictions on stem cell research. *Science*, 323, 1412-1413.

Hattori, M., Fujiyama, A., Taylor, D., Watanabe, H., Yada, T., Park, H., Toyoda, A., Ishii, K., Totoki, Y., Choi, D., Soeda, E., Ohki, M., Takagi, T., Sakaki, Y., Taudien, S., Blechschmidt, K., Polley, A., Menzel, U., Delabar, J., Kumpf, K., Lehman, R., Patterson, D., Reichwald, K., Rump, A., Schillhabel, M., Schudy, A., Zimmermann, W., Rosenthal, A., Kudoh, J., Shibuya, K., Kawasaki, K., Asakawa, S., Shintani, A., Sasaki, T., Nagamine, K., Mitsuyama, S., Antonorakis, S., Minoshima, S., Shimizu, N., Nordsiek, G., Hornischer, K., Brandt, P., Scharfe, M., Schon, O., Desario, A., Reichelt, J., Kauer, G., Bloker, H., Ramser, J., Beck, A., Klages, S., Hennig, S., Riesselmann, L., Dagand, E., Haaf, T., Wehrmeyer, S., Borzym, K., Gardiner, K., Nizetic, D., Francis, F., Lehrach, H., Reinhardt, R., & Yaspo, M. (2000). The DNA sequence of human chromosome 21. *Nature*, 405, 311-319.

Hayashi, M., Rao, B., Seo, J., Choi, H., Dolan, B., Choi, S., Chattariji, S., & Tonegawa, S. (2007). Inhibition of p21-activated kinase rescues symptoms of fragile X syndrome in mice. *Proceedings of the National Academy of Sciences of the United States of America*, 104, 11489-11494.

Heral, O. (2003). Joseph, l'enfant sauvage de Lacaune : un cas princeps également à l'origine de l'orthophonie en France. *Journal de Réadaptation Médicale*, 23, 24-28.

Holden, C. (2008). A fresh start for embryonic stem cells. *Science*, 322, 1619.

Holmes, L. (1976). *The malformed newborn : Practical perspectives.* Boston : Massachusetts Developmental Disabilities Council.

Hornyak, T. (2008). Turning back the cellular clock. *Scientific American*, décembre, 80-81.

Howard-Jones, N. (1979). On the diagnostic term « Down's syndrome ». *Medical History*, 23, 102-104.

Hsu, T.-C. (1979). *Human and mammalian cytogenetics : An historical perspective.* New York : Springer-Verlag.

Hume, D. (1748, 2006). *Enquête sur l'entendement humain.* Paris : Flammarion.

Itard, J.-M. (1801). *De l'éducation d'un homme sauvage ou des premiers développements physiques et moraux du jeune sauvage de l'Aveyron.* Paris : Goujon.

Jacobs, P., Baikie, A., Court Brown, W., & Strong, J. (1959). The somatic chromosomes in mongolism. *Lancet*, 1, 710.

Jin *et al.* (aucun autre détail donné sur les auteurs) (2009). Pds5 is required for homologue pairing and inhibits synapsis of sister chromatids during yeast meiosis. *The Journal of Cell Biology*, 2009, 186 (5), 713 (mentionné in *Science Daily*, December 10, 2009 – http://www.sciencedaily.com/releases/2009/09/090916153147.htm

Joint Committee on Mental Deficiency (1929). *Report to the Board of Education and the Board of Control* (3 vol.). Londres : His Majesty's Stationer's Office.

Kanner, L. (1967). Medicine in the history of mental retardation. *American Journal of Mental Deficiency*, 72, 165-170.

Kevles, D. (1999). *In the name of eugenics.* Cambridge, Massachusetts : Harvard University Press.

Koenig, K. (1959). *Mongolismus.* Stuttgart : Hippocrates.

Korenberg, J., Kawashima, H., & Pulst, S., Ikeuchi, T., Ogasawara, N., Yamamoto, K., Schonberg, S., West, R., Allen, I., Magenis, E., Ikawa, K., Taniguchi, & Epstein, C., (1990). Molecular definition of a region of chromosome 21 that causes features of the Down syndrome phenotype. *American Journal of Human Genetics*, 47, 236-246.

Kuhn, D., Nuovo, G., Terry, A., Martin, M., Malana, G., Sanson, S., Pleister, A., Beck, W., Head, E., Feldman, D., & Elton, T. (2009). Chromosome 21 – derived mirnas provide an etiological basis for aberrant protein expression in human down syndrome brains. *Journal of Biological Chemistry*, 6 novembre preprint (PubMed : PMID : 19897480).

Lambert, J.L., & Rondal, J.A. (1979). *Le mongolisme.* Bruxelles : Mardaga.

Laplane, R. (1989). Éloge de Raymond Turpin (1895-1988). *Bulletin de l'Académie Nationale de Médecine*, 173, 535-543.

Lee, L., & Jackson, J. (1972). Diagnosis of Down's syndrome : Clinical vs laboratory. *Clinical Pediatrics*, 11, 353-356.

Lejeune, J. (1979). Investigations biochimiques et trisomie 21. *Annales de Génétique*, 22, 6-75.

Lejeune, J. (1983). Biochemical research on the causes of mental deficiency in trisomy 21. In Collectif, *Sindrome de Down. Jornadas Internacionales* (pp. 13-19). Madrid : Instituto Internacional para la Investigacion y Asesoramento sobre la Deficiencia Mental.

Lejeune, J., Gautier, M., & Turpin, R. (1959a). Les chromosomes humains en culture de tissus. *Comptes Rendus des Séances de l'Académie des Sciences*, 248, 602-603.

Lejeune, J., Gautier, M., & Turpin, R. (1959b). Etudes des chromosomes somatiques de neuf enfants mongoliens. *Comptes Rendus des Séances de l'Académie des Sciences*, 248, 1721-1722.

Lejeune, J., Lafourcade, J., & Berger, R. (1963). Trois cas de délétion partielle du bras court d'un chromosome 5. *Comptes Rendus de l'Académie des Sciences de Paris*, 257, 3098-3102.

Le Mene, J.M. (1997). *Le Professeur Lejeune, fondateur de la génétique moderne*. Paris : Mame.

Le Mene, J.M. (2009). *La trisomie est une tragédie grecque*. Paris : Salvador.

Locke, J. (1690, 1999). *Essai sur l'entendement humain*. Paris : Presses Universitaire de France.

London, J. (2009). Il y a 50 ans : une découverte majeure en génétique : la cause du mongolisme. *Gazette de Reflet 21*, juin, 1-3.

Malson, L. (1964). *Les enfants sauvages*. Paris : Union Générale d'Éditions.

Matos Biselli, J., Goloni-Bertolo, E., Torreglosa Ruiz, M., & Pavarino-Bertelli, C. (2009). Cytogenetic profile of Down syndrome cases seen by a genetics outpatient service in Brazil. *Down Syndrome*, 12, 217-230.

McClure, H., Belden, K., & Pieper, W. (1969). Autosomal trisomy in a chimpanzee : Resemblance to Down's syndrome. *Science*, 165, 1010-1011.

Mercier, M. (2003). La personne déficiente mentale : Un être humain avec ses affects et sa mentalité. *Journal de la Trisomie 21*, 8, 7-12.

Miller, G. (2009). Alzheimer's biomarker initiative hits its stride. *Science*, 326, 386-389.

Minkel, J. (2008). Reversed-engineered human stem cells may leapfrog the embryonic kind. *Scientific American*, février, 12-13.

Moreira, L., San Juan, A., Pereira, P., & Souza, C. (2000). A case of mosaic trisomy 21 with Down's syndrome signs and normal intellectual development. *Journal of Intellectual Disability Research*, 44, 91-96.

Morris, J., Wald, N., & Watt, H. (1999). Fetal loss in Down syndrome pregnancies. *Prenatal Diagnosis*, 19, 142-145.

Moser, H. (1992). Prevention of mental retardation (genetics). In L. Rowitz (Ed.), *Mental retardation in the year 2000* (pp. 66-82). New York : Springer-Verlag.

Mujezinovic, F., & Alfirevic, Z. (2007). Procedure-related complications of amniocentesis and chorionic villous sampling : A systematic review. *Obstetrics and Gynecology*, 110, 687-694.

Neri, S. (2001a). Breve storia dell'integrazione in Italia. In C. Ricci (sous la direction de), *Manuale per l'integrazione scolastica* (pp. 15-33). Milan : Fabbri.

Neri, S. (2001b). Dalla legge 104/1992 alla scuola dell'autonomia : Norme, principi e regole. In C. Ricci (sous la direction de), *Manuale per l'integrazione scolastica* (pp. 34-59). Milan : Fabbri.

Niebuhr, E. (1974). Down's syndrome. The possibility of a pathogenic segment on chromosome n° 21. *Human Genetik*, 21, 99-101.

Noonan, J., & Ehmke, D. (1963). Associated noncardiac malformations in children with congenital heart disease. *Journal of Pediatrics*, 63, 468-470.

Park, A. (2009). The quest resumes. *Time*, 9 février, pp. 31-37.

Patterson, D. (2009). Molecular genetic analysis of Down syndrome. *Human Genetics*, 126, 195-214.

Penrose, L. (1932). The blood grouping of Mongolian imbeciles. *Lancet*, 7, 394-395.

Penrose, L. (1934). *Mental defect*. New York : Farrar & Rinehart.

Penrose, L. (1949). *The biology of mental defect*. Londres : Sidwick and Jackson.

Penrose, L. (1965). Edmund Oliver Lewis. *Lancet*, 2, 395.

Penrose Papers (non daté). Londres : University College London Archives.

Penrose, L., & Smith, G. (1966). *Down's anomaly*. Londres : Churchill.

Penrose, L., Ellis, J., & Delhanty, J. (1960). Chromosomal translocations on mongolism and in normal relatives. *Lancet*, 2, 409.

Peterson, A., Patil, N., Robins, C., Wang, J., Cox, R., & Myers, R. (1994). A transcript map of the Down syndrome critical region of chromosome 21. *Human Molecular Genetics*, 3, 1735-1742.

Pineda, P. (2002). Interview « Down syndrome is not a disease but another personal characteristics ». *Disability World*, 14, numéro de juin-août (disponible sur www.disabilityworld.org/06-08).

Pineda, P. (2008, novembre 10). *Entrevista* (disponible sur www.minusval2000. com/relacion).

Pinel, P. (1809). *Traité médico-philosophique de l'aliénation mentale*. Paris : Baillière.

Polani, P., Hunter, W., & Lennox, B. (1954). Chromosomal sex in Turner's syndrome with coarctation of the aorta. *Lancet*, 2, 120-121.

Polani, P., Briggs, J., Ford, C., Clarke, C., & Berg, J. (1960). A mongol girl with 46 chromosomes. *Lancet*, 1, 721.

Polloway, E., Smith, J., Chamberlain, J., Denning, C., & Smith, T. (1999). Levels of deficits or supports in the classification of mental retardation : Implementation practices. *Education and Training in Mental Retardation*, 34, 200-206.

Prasher, V., Sajith, S., Rees, S., Patel, A., Tewari, S., Schupf, N., & Zigman, W. (2008). Significant effect of APOE epsilon 4 genotype on the risk of dementia in Alzheimer's disease and mortality in persons with Down syndrome. *International Journal of Geriatric Psychiatry on line*, 10, 1002/gps.2039.

Pritchard, M., Kola, I. (2007). The biological bases of pharmacological therapies in Down syndrome. In J.A. Rondal & A. Rasore (Eds.), *Therapies and rehabilitation in Down syndrome* (pp. 18-27). Chichester, Royaume Uni : Wiley.

Pueschel, S. (1983). *A study of the young child with Down syndrome*. New York : Human Science Press.

Pueschel, S. (1995). Caracteristicas fisicas de las personas con sindrome de Down. In J. Perera (Ed.), *Sindrome de Down. Aspectos especificos* (pp. 53-63*)*. Barcelone : Masson.

Rasore-Quartino, A. (2006). Down syndrome specificity in health issues. In J.A. Rondal & J. Perera (Eds.), *Down syndrome. Neurobehavioural specificity* (pp. 53-65). Chichester, Royaume Uni : Wiley.

Romano, C. (2004). The endocrinology of adults with Down sindrome. In J.A. Rondal & A. Rasore-Quartino (Eds.), *The adult with Down syndrome. A new challenge for society* (pp. 57-60). Londres : Whurr.

Rondal, J.A. (1975). Développement du langage et retard mental : une revue critique de la littérature en langue anglaise. *L'Année Psychologique*, 75, 513-547.

Rondal, J.A. (1980). Une note sur la théorie cognitive-motivationnelle d'Edward Zigler en matière de retard mental culturel-familial. *Psychologica Belgica*, 20, 61-82.

Rondal, J.A. (1990). Conditions, potentialités et limites de l'intégration scolaire pour les déficients mentaux. *Apprendizagem/Disenvolvimento*, 5, 63-79.

Rondal, J.A. (1995a). Especificidad sistemica del lenguaje en el sindrome de Down. In J. Perera (Ed.), *Sindrome de Down. Aspectos especificos* (pp. 91-107). Barcelona : Masson.

Rondal, J.A. (1995b). *Exceptional language development in Down syndrome.* New York : Cambridge University Press.

Rondal, J.A. (2002). Une école pour tous. Au-delà de l'intégration. *Journal de la Trisomie 21*, 5, 38-46.

Rondal, J.A. (2003a). Atypical language development in individuals with mental retardation. Theoretical implications. In L. Abbeduto (Guest Editor), *Language and communication. International Review of Research in Mental Retardation.* (Vol. 27, pp. 281-308). New York : Academic Press.

Rondal, J.A. (2003b). La trisomie 21, hier, aujourd'hui et demain : Vers une citoyenneté à part entière des personnes porteuses d'une trisomie 21. *Journal de la Trisomie 21*, 7, 40-51.

Rondal, J.A. (2005a). *Expliquer l'acquisition du langage. Caveats et perspectives.* Hayen, Belgique : Mardaga.

Rondal, J.A. (2005b). Une intervention linguistique longitudinale chez les personnes porteuses d'une trisomie 21. *Journal de la Trisomie 21*, 13, 25-30.

Rondal, J.A. (2009a). *Psycholinguistique du handicap mental.* Marseille : Solal.

Rondal, J.A. (2009b). Oral language development in Down syndrome. A life span perspective. *International Journal of Early Childhood Special Education*, sous presse.

Rondal, J.A., & Comblain, A. (2002). Le langage des personnes trisomiques 21 âgées. *Journal de la Trisomie 21*, 5, 26-36.

Rondal, J.A., & Edwards, S. (1997). *Language in mental retardation.* Londres : Whurr.

Rondal, J.A., & Perera, J. (Éds.) (2006). *Down syndrome. Neurobehavioural specificity.* Chichester, Royaume Uni : Wiley.

Rondal, J.A., & Perera, J. (Éds.) (en préparation). *Early intervention in Down syndrome. The science behind.*

Rondal, J.A., & Rasore-Quartino, A. (Eds.) (2007). *Therapies and rehabilitation in Down syndrome.* Chichester, Royaume Uni : Wiley.

Rondal, J.A., Henrot, F., & Charlier, M. (1997). Le langage des signes. Hayen, Belgique : Mardaga.

Rondal, J.A., Perera, J., & Nadel, L. (Eds.) (1999). *Down syndrome. A review of current knowledge.* Londres : Whurr.

Rondal, J.A., Rasore-Quartino, A., & Soresi, S. (Eds.) (2004). *The adult with Down syndrome. A new challenge for society.* Londres : Whurr.

Rondal, J.A., Perera, J., Nadel, L., & Comblain, A. (Eds.) (1996). *Down's syndrome. Psychological, psychobiological and socio-educational perspectives.* Londres : Whurr.

Rondal, J.A., Ylief, M., Elbouz, M., & Docquier, L. (2003). Françoise : A fifteen-year follow up. *Down syndrome*, 8, 89-99.

Rondal, J.A., Hodapp, R., Soresi, S., Dykens, E., & Nota, L. (2004). *Intellectual disabilities. Genetics, behaviour and inclusion*. Londres : Whurr.

Rousseau, J.J. (1755). *Discours sur l'origine et les fondements de l'inégalité parmi les hommes*. Amsterdam : Rey.

Rousseau, J.J. (1762, 1964). *Émile ou de l'éducation*. Paris : Garnier.

Rubinstein, J., & Taybi, H. (1963). Broad thumbs and toes and facial abnormalities : A possible mental retardation syndrome. *American Journal of Diseases in Children*, 105, 88-108.

Ruiz, B. (1998). *Estudio de la evolucion del lenguaje en la demencia de Alzheimer*. Barcelone : ISEP Editorial.

Ruiz, F., Gil, J., Fernandez-Pastor, S., & Peran, S. (2003). Entraînement intensif d'athlétisme pour les personnes porteuses d'un syndrome de Down. *Journal de la Trisomie 21*, 7, 22-30.

Seguin, E. (1846). *Traitement moral, hygiène et éducation des idiots et autres enfants arriérés ou retardés dans leur développement, agités de mouvements involontaires, débiles, muets non-sourds, bègues, etc.* Paris : Baillière.

Seguin, E. (1866). *Idiocy an its treatment by the physiological method*. New York : Wood.

Selkoe, D. (2002). Deciphering the genesis and fate of amyloid beta-protein yields novel therapies for Alzheimer disease. *Journal of Clinical Investigation*, 110, 1375-1381.

Seregaza, Z., Roubertoux, P., Jamon, M., & Soumieux-Mourat, B. (2006). Mouse models of cognitive disorders in trisomy 21 : A review. *Behavior Genetics*, 36, 387-404.

Shprintzen, R. (1997). *Genetics, syndrome and communication disorders*. San Diego, Californie : Singular.

Shuttleworth, G. (1909). Mongolian imbecility. *British Medical Journal*, 2, 661-665.

Smith, D., & Wilson, A. (1973). The child with Down's syndrome (mongolism). Philadelphie : Saunders.

Steffelaar, J., & Evenhuis, H. (1989). Life expectancy, Down syndrome and dementia. *Lancet*, 2, 492-493.

Stratford, B. (1982). Down's syndrome at the Court of Mantua. *Journal of Family Medicine*, 7, 6.

Sutcliffe, J. (2008). Insight into the pathology of autism. *Science*, 321, 208-209.

Terman, L. (1916). *The measurement of intelligence*. Boston : Houghton Mifflin.

Tjio, J., & Levan, A. (1956). The chromosome number of man. *Hereditas*, 42, 1-6.

Turpin, R., & Lejeune, J. (1953a). Étude dermatoglyphique de la paume des mongoliens et de leurs parents et germains. *Semaine des Hôpitaux de Paris*, 76, 3904-3910.

Turpin, R., & Lejeune, J. (1953b). Analogies entre le type dermatoglyphique palmaire des singes inférieurs et celui des enfants atteints de mongolisme. *Semaine des Hôpitaux de Paris*, 76, 3955-3967.

Turpin, R., & Lejeune, J. (1954). Étude comparée des dermatoglyphes de la partie distale de la paume de la main, chez l'homme normal, les enfants mongoliens, et les singes inférieurs. *Comptes Rendus des Séances de l'Académie des Sciences*, 238, 1449-1450.

United Nations (1993). *Standard rules on the equalization of opportunities for persons with disabilities*. New York.

Van Buggenhout, G., Lukusa, T., Trommele, J., De Bal, C., Hamel, B., & Fryns, J.P. (2001). Une étude pluridisciplinaire du syndrome de Down dans une population résidentielle d'arriérés mentaux d'âge avancé : Implications pour le suivi médical. *Journal de la Trisomie 21*, 2, 7-13.

Veglia, F. (2004). Mental disability and sexuality. In J.A. Rondal, A. Rasore-Quartino, & S. Soresi (Eds.), *The adult with Down syndrome. A new challenge for society* (pp. 176-193). Londres : Whurr.

Verloes, A. (2008). *Une courte histoire du syndrome de Down* (version HTML du fichier http ://www.apem-t21.be/files/jt21_n8 verloes.doc)

Waardenburg, P. (1932). *Das menschliche auge und seine erbenlangen*. La Haye : Nijhoff.

Wald, N., Rodeck, C., Hackshaw, A., Walters, J., Chitty, L., & Mackinson, A. (2003). First- and second-semester antenatal screening for Down's syndrome. The result of serum, urine and ultrasound screening study. *Health Technology Assessment*, 7(11), numéro entier.

Ward, C. (1998). *John Langdon Down, 1828-1896*. Londres : Royal Society of Medicine Press.

Ward, C. (1999). John Langdon Down : The man & the message. *Down Syndrome*, 6, 19-24.

Ward, C. (2002). *John Langdon Down and Down's syndrome (1828-1896)* (disponible sur www.intellectualdisability.info/values.history.DS.htm, affiché le 27 octobre 2008)

Ward, C. (1997). Down's 1864 case of Prader-Willi syndrome : A follow-up report. *Journal of the Royal Society of Medicine*, 90, 694-696.

Warkany, J. (1960). Etiology of mongolism. *Journal of Pediatrics*, 56, 412-434.

Watson, J.B. (1913). Psychology as the behaviorist views it. *Psychological Review*, 20, 158-177.

Wechsler, D. (1949). *Échelle d'Intelligence pour Enfants* (WISC). Paris : Éditions du Centre de Psychologie Appliquée.

Wenner, M. (2008). Regaining lost luster. New developments and clinical trials breathe life back into gene therapy. *Scientific American,* janvier, 9-10.

Wisniewsky, H., & Silverman, W. (1996). Alzheimer disease, neuropathology and dementia in Down syndrome. In J.A. Rondal, J. Perera, L. Nadel, & A. Comblain (Eds.), *Down syndrome. Psychological, psychobiological and socio-educational perspective* (pp. 43-52). Londres : Whurr.

Wunderlich, C. (1977). *The mongoloid child.* Tucson, Arizona : The University of Arizona Press.

Wundt, W. (1886). *Éléments de psychophysique.* Paris : Alcan.

Ylieff, M. (2003). L'évaluation clinique des adultes trisomiques 21 âgés. *Journal de la Trisomie 21*, 9, 26-31.

Zazzo, R., Gilly, M., & Verba-Rad, M. (1966). *Nouvelle Échelle Métrique de l'Intelligence.* Paris : Colin.

Zellweger, H. (1966). Indications for chromosomal analysis in mongolism. *Journal of Medical Science*, 3, 505-508.

Zigler, E. (1969). Developmental versus difference théories of mental retardation and the problem of motivation. *American Journal of Mental Deficiency*, 73, 536-556.

Zigler, E. (1973). The retarded child as a whole person. In D. Routh (Ed.), *The experimental psychology of mental retardation* (pp. 231-322). Chicago : Aldine.

Note sur le tableau en couverture

Le tableau d'Andrea Mantegna « La vierge à l'enfant », reproduit en couverture, fournit peut-être la première représentation picturale d'un bébé porteur d'une trisomie 21 (ainsi qu'argumenté par mon ami le professeur Brian Stratford, aujourd'hui décédé, dans un article paru en 1982). Plusieurs symptômes physiques sont probants (epicanthus, brachydactylie, en particulier). En outre, la famille Gonzaga de Mantoue au service de laquelle peignait Mantegna, comptait un enfant atteint « d'une maladie inconnue ». L'un des derniers parmi les 14 enfants de Mantegna (marié à la fille du peintre vénitien Giovanni Bellini) était également atteint de la même « maladie ». Si le rapport avec la trisomie 21 correspond à la vérité historique, Mantegna a peut-être eu l'intention, en représentant l'enfant Jésus sous les traits d'un bébé porteur d'une trisomie 21, d'exprimer la pleine et indiscutable appartenance de ces enfants à la nature humaine (enfant homme et créature divine), ce qui a été mis en doute parfois au cours des siècles suivants.

Le Musée des Beaux-Arts de Boston, qui possède ce tableau dans sa collection depuis 1938, m'a demandé de déclarer qu'il ne croit pas que la représentation de certaines caractéristiques physiques associées à la trisomie 21, dans cette peinture, était intentionnelle. Leur opinion est plutôt que le peintre (qui ne serait pas Mantegna lui-même, selon les Conservateurs du Musée) avait une technique picturale limitée. En essayant d'imiter le style de Mantegna, il aurait créé un tableau qui, par coïncidence, reproduit certaines caractéristiques physiques de cette anomalie chromosomique. Dans la littérature historique d'art sur cet artiste influent que fut Mantegna, les Conservateurs de musée n'ont trouvé aucune mention de lui peignant des enfants ayant ce qu'on pourrait appeler des handicaps. Le Musée croit davantage que cette ressemblance est due au manque d'habileté du peintre et à l'état de conservation de la peinture.

Le lecteur appréciera pour son propre compte.

Table des matières

LA PSYCHOLOGIE CHEZ MARDAGA

PSY-THÉORIE, DÉBATS, SYNTHÈSES
collection dirigée par Marc Richelle et Xavier Seron

1 Jean-Pierre POURTOIS & Huguette DESMET, *Épistémologie et instrumentation en sciences humaines*, 2007.
2 François JOUEN & Michèle MOLINA, *Naissance et connaissance. La cognition néonatale*, 2007.
3 Odile BOURGUIGNON (dir.), *Éthique et pratique psychologique*, 2007.
4 Françoise PAROT (dir.), *Les fonctions en psychologie*, 2008.
5 Odile BOURGUIGNON (dir.), *La pratique du psychologue et l'éthique*, 2009.
6 Jacques BALTHAZART, *Biologie de l'homosexualité*, 2010.

PSY-ÉVALUATION, MESURE, DIAGNOSTIC
collection dirigée par Jacques Grégoire
anciennement Pratiques psychologiques – Évaluation et diagnostic (9 titres)

1 Marie-Pascale NOËL (dir.), *Bilan neuropsychologique de l'enfant*, 2007.
2 Jacques GRÉGOIRE, *L'examen clinique de l'intelligence. Fondements et pratique du WISC-IV* (nouvelle édition), 2009.

PSY-INDIVIDUS, GROUPES, CULTURES
collection dirigée par Vincent Yzerbyt

1 Paula NIEDENTHAL, Silvia KRAUTH-GRUBER & François RIC, *Comprendre les émotions. Perspectives cognitives et psycho-sociales*, 2008.
2 Olivier CORNEILLE, *Nos préférences sous influences. Déterminants psychologiques de nos préférences et choix*, 2010.
3 Jonathan HAIDT, *L'hypothèse du bonheur. La redécouverte de la sagesse ancienne dans la science contemporaine*, 2010.
4 Serge GUIMOND, *Psychologie sociale. Perspectives multiculturelles*, 2010.
5 Carol S. DWECK, *Changer d'état d'esprit. Une nouvelle psychologie de la réussite*, avril 2010 (à paraître).

PSY-ÉMOTION, INTERVENTION, SANTÉ
collection dirigée par Pierre Philippot
anciennement Pratiques psychologiques – Cognition, émotion et santé (4 titres)

1   Pierre PHILIPPOT, *Émotion et psychothérapie*, 2007.
2   Isabelle WODON, *Déficit de l'attention et hyperactivité chez l'enfant et l'adolescent*, 2009.
3   Isabelle VARESCON (dir.), *Les addictions comportementales : aspects cliniques et psychopathologiques*, 2009.

PSYCHOLOGIE ET SCIENCES HUMAINES
collection dirigée par Marc Richelle

264 titres parus.

Pour plus de renseignements, consultez notre catalogue en ligne

www.mardaga.be

Imprimé en Belgique, en janvier 2010,
sur les presses de SNEL Grafics à Vottem
pour le compte des Éditions Mardaga à Wavre